# Das neue
# Backbuch

Herausgegeben von
Isa Fuchs

# Inhalt

Abkürzungserklärungen:

| | | |
|---|---|---|
| EL | = | Eßlöffel |
| TL | = | Teelöffel |
| ml | = | Milliliter |
| cl | = | Zentiliter |
| g | = | Gramm |
| kg | = | Kilogramm |
| ca. | = | circa |
| Msp. | = | Messerspitze |
| Btl. | = | Beutel |
| P. | = | Päckchen |
| TK... | = | Tiefkühl... |
| °C | = | Grad Celsius |
| Min. | = | Minute(n) |
| Std. | = | Stunde(n) |

# Vorwort

Auch wenn Sie nicht zu den „süßen Typen" gehören, so sind feine Kuchen, üppige Torten, saftige Obstkuchen und raffiniertes Kleingebäck allein durch ihre bestechende Optik die großen Verführer für die kleinen Sünden, die man sich hin und wieder gönnt. Wenn die Leckereien selbstgemacht sind, schmecken sie noch einmal so gut, selbst wenn die Verzierung der großen Torten nicht dem Vorbild in der Konditorei entspricht. Für frühere Generationen gehörte das Backen zur mühsamen Alltagsarbeit; jede Scheibe Brot und jedes Stück Kuchen, die auf den Tisch kamen, mußten von den Hausfrauen zubereitet werden.

Heute können wir uns den Luxus leisten, Backen als Hobby zu begreifen. Jeder größere Ort verfügt über mindestens eine Bäckerei oder Konditorei, deren Schaufenster in verlockender Vielfalt die unterschiedlichsten Backwaren präsentieren. Das ist auch das Schöne am Backen; im Gegensatz zum Kochen kann man sich ganz zwanglos und mit viel Muße überlegen, ob man den Kuchen selbst macht oder ob man einfach hingeht und ihn kauft.

Dabei gibt es natürlich Spezialitäten, die man nicht ohne weiteres findet, das Nachbarland Österreich ist beispielsweise berühmt für seine „Mehlspeisen", wie diese Köstlichkeiten einfach genannt werden. Die besten Mehlspeisen werden dort immer noch im privaten Kreis kredenzt und die Rezepte dafür gehören zur jeweiligen Familiengeschichte. Diese Tatsache kommt nicht von ungefähr, denn das Backen und alles was dazugehört, ist eng mit Familienleben und Geselligkeit

verbunden. Die schönsten Torten und Kuchen werden zu besonderen Anlässen und bei Familienfesten gebacken, und man wird sich schwertun, ein Kuchenrezept für 1 Person zu finden! Mit Freunden zusammen Kuchen backen und essen macht besonders viel Spaß.

Backen gehört zu den kreativsten Tätigkeiten in der Speisenherstellung. Eine Messerspitze Zitronenschale hier, eine Prise Anispulver da und schon hat das Backwerk einen völlig anderen Geschmack. Besonders spannend wird das Ganze dadurch, daß der Teig ganz anders schmeckt als das fertige Gebäck, so daß man geduldig auf das endgültige Resultat warten muß, um beurteilen zu können, ob das neue Rezept auch gelungen ist.

Die inzwischen mehr als 200jährige europäische Backtradition hat eine unglaubliche Fülle an Backrezepten hervorgebracht. In dem vorliegenden Buch habe ich versucht, eine sinnvolle Auswahl daraus zu treffen. Sie finden Rezepte für einfache Rührkuchen, die im Handumdrehen fertig sind, für Obstkuchen, aufwendige Festtagstorten, feine Plätzchen und Pralinen sowie für Brot und pikantes Gebäck. Sicherlich ist das eine oder andere Rezept dabei, das Sie nicht nur für die Festtage reservieren!

Viel Spaß beim Backen
wünscht Ihnen
Ihre

# Kleiner Streifzug durch die Backgeschichte

An Fest- und Feiertagen besondere Speisen, edle Getränke und feine Naschereien zu kredenzen, ist ein uraltes Brauchtum. Nahezu jeder, der in der abendländischen Kultur großgeworden ist, verbindet mit den „hohen Tagen" eine Erinnerung an die verführerischen Düfte, die zu dieser Zeit durchs Haus ziehen. Das beginnt mit dem feinen Aroma der einzelnen Gewürzutaten wie Vanille, Zimt und Anis, wenn die verschiedenen Backwaren vorbereitet werden und setzt sich fort, wenn die frischgebackenen Kuchen, Plätzchen und Torten aus dem Ofen kommen. Das gemeinsame Verzehren der süßen Köstlichkeiten spielt eine große Rolle: Zu Kaffee und Kuchen lädt man sich Gäste ein und die Feiertage verbringt man ohnehin im Kreis der Familie.

In früheren Zeiten diente die Anwesenheit von Gästen nicht nur geselligen Zwecken. Man versuchte, einen möglichst dichten Kreis um den Tisch zu bilden, um neidvolle, böse Geister abzuwehren. Auch die Backwaren, die zu diesen Anlässen gereicht wurden, hatten einen symbolischen, teilweise sogar mythischen Stellenwert.

## Kuchen für die Götter

In der Tat ist das Kuchenbacken und -verzehren, historisch gesehen, eng mit religiösem Brauchtum verbunden. Wann und warum der erste Kuchen gerührt wurde, läßt sich nicht belegen, doch Grabfunde in Ägypten lassen vermuten, daß in dieser Hochkultur das Kuchenbacken „erfunden wurde".

Am Hofe Ramses III. gab es gedrehte und gerollte Kuchen, die die Form liegender Tiere hatten und in heißem Fett ausgebacken wurden. In den Pyramiden wurden große Mengen an Kuchen gefunden, die den toten Pharaonen offenbar als Wegzehrung für ihre Reise vom Tal der Könige in das Reich der Götter beigelegt wurden. Wie bei vielen Speisen scheint die Geburtsstunde des Kuchens eher aus praktischen als aus kulinarischen Gründen geschlagen zu haben. Durch das Backen des Getreidebreis konnte dieser länger haltbar gemacht werden und daher die Könige auf ihrer langen Jenseitsreise ernähren.

Ob Kuchen auch bei anderen Gelegenheiten eine Rolle spielte oder als Speise für die Lebenden diente, bleibt ungewiß. Da bei den Ägyptern der Totenkult sehr ausgeprägt war, wäre es durchaus möglich, daß Backwaren nur als Grabbeigaben hergestellt wurden. Jahrhunderte später wurden im antiken Rom kleine Kuchen und Gebäcke gefertigt, um die Götter milde zu stimmen. Um 200 v. Chr. wurden in den Kuchenläden Roms Kuchen, die aus Früchten, Rosenwasser, Mandeln, Nüssen, Feigen und Rohrzucker bestanden, feilgeboten. Man nimmt an, daß die Römer ihre Backrezepte von der hohen Tafelkultur der Perser übernommen haben. Im vorderen Orient gediehen Mandelbäume, und das aus Indien stammende Zuckerrohr wurde von den Persern kultiviert. Die jeweilige Gebäckform entsprach häufig einem Symbol für Götter und Göttinnen. Beispielsweise waren mondförmige Gebäcke der

Fruchtbarkeits- und Jagdgöttin Artemis gewidmet.

## Köstliches aus Klöstern

Die Verbindung von Glauben und kulinarischen Genüssen blieb lange Zeit erhalten. So wurden etwa ab dem Beginn der Christianisierung Europas in Klöstern Biskuits, Lebkuchen und Oblaten hergestellt. Zur damaligen Zeit wurden im Kalenderjahr mehr als 40 Tage zu Fastentagen erklärt. Die Mönche waren durch die strengen Fastenregeln gezwungen, bei der Schöpfung von alternativen, nahrhaften Speisen besonders viel Phantasie einzusetzen. Aus diesem Grund waren die aus den Klöstern stammenden Backwaren besonders köstlich. Marzipan beispielsweise wurde lange Zeit als Heilmittel gehandelt und das alleinige Herstellungs- und Verkaufsrecht lag bei Apothekern. Die eifrigen Mönche fanden schnell heraus, daß Backwerk auf der Grundlage von Heilmitteln durchaus auch an Fastentagen konsumiert werden darf, und leisteten auf diese Weise der Entstehung der feinen Zuckerbäckerei einen enormen Vorschub.

Bis sich dieser Berufszweig etablieren konnte, mußte allerdings noch viel Zeit vergehen, denn die Kunst der Zuckerraffinade wurde erst im Spätmittelalter perfektioniert. Bis dahin wurde Honig oder Rohrzucker als Süßstoff für Speisen und Gebäck verwendet. Zuckerrohrplantagen wurden von den Europäern in Westindien erst Anfang des 18. Jahrhunderts errichtet und wirtschaftlich genutzt. Der Siegeszug dieses kostbaren Rohstoffs war von da ab nicht mehr aufzuhalten. Zucker wurde zu wertvoller Handelsware, und wohlhabende Bürger stellten einen Zuckerhut in ihrem Vorzimmer auf, um ihren Reichtum zu demonstrieren.

## Von hochherrschaftlichen Höfen in die heimischen Backstuben

Daß man aus Zucker, Eiern, Mehl und feinen Würzzutaten nicht nur wohlschmeckende Kuchen, sondern auch architektonische Wunderwerke zaubern kann, stellten die zu dieser Zeit in Königshäusern wirkenden Zuckerbäcker unter Beweis. Bei großen Festen und Banketten dienten die teilweise riesigen Torten nicht nur als Gaumenfreude, sondern auch als Dekoration. Die Größe und individuelle Formgebung der Backware sollte auch auch die jeweilige Machtstellung der Höfe widerspiegeln: So ließ zum Beispiel der Kurfürst von Sachsen, August der Starke, den angeblich größten Kuchen der Welt backen, für den eigens ein Backofen gebaut werden mußte. Denn der Kuchen war angeblich 22 Meter lang, dreieinhalb Meter breit und enthielt unter anderem 3.600 Eier, 31 Pfund Hefe und 400 Liter Milch. Keine Frage, daß das Volk bald im wahrsten Sinne des Wortes auch „ein Stück von dem Kuchen" haben wollte.

Zu Beginn des 18. Jahrhunderts wurden die ersten Backbücher gedruckt und die Verbreitung der Backkunst in den Bürgerhäusern nahm ihren Anfang. Da Backzutaten, vor allem Zucker, aber nach wie vor sehr teuer waren, buk man in erster Linie zu festlichen Anlässen. Im gleichen Maß wie Zuckerbäcker und Konditoren im Laufe der Jahrhunderte ihre Kunst perfektionierten,

eiferten die Bürger in den heimischen Backstuben diesen Vorbildern nach. Die Resultate waren mehr als zufriedenstellend. Nicht zu Unrecht sagt man bei einem besonders feinen Kuchen er schmecke „wie von der Großmutter". Backrezepte wurden und werden in der Familie als wohlbehütetes Geheimnis von Generation zu Generation weitergegeben. Besonders lieben Freunden und Gästen wurden natürlich hin und wieder manche Backgeheimnisse preisgegeben und dieser Tatsache ist es neben den Veröffentlichungen weltberühmter Konditoren wahrscheinlich zu verdanken, daß wir heute auf eine unendliche Fülle an Backrezepten zurückgreifen können. Dabei hat nahezu jede Region in Europa ihre eigenen Backspezialitäten. Je nach Klima werden unterschiedliche Früchte und Gewürze verarbeitet, so findet man in den südlichen

Gegenden Europas feines Gebäck, das mit Mandeln, Zitronen und Orangen zubereitet wird. In der böhmischen Küche, die von Natur aus etwas üppiger ist, füllt man Strudel und Hefeteilchen mit gemahlenem Mohn. In England, das aufgrund seiner vielen ehemaligen Kolonien bereits früh Südfrüchte importieren konnte, verfielen die Konditoren auf die Idee, Orangen und Zitronen zu kandieren, das heißt durch Zucker haltbar zu machen und den Fruchtgeschmack dadurch gleichzeitig zu intensivieren. Diese Zutaten sind ein fester Bestandteil in der englischen Bäckerei. Diese Aufzählung ließe sich beliebig verlängern. Ausschlaggebend ist, daß das Backen ebenso wie das Kochen von einzelnen Kulturen und Epochen geprägt ist und sich spätenstens seit der Wiener Kaffeehauskultur in unseren Breiten einer großen Beliebtheit erfreut.

# Backzutaten

**Anis** wird wegen seines würzig-süßen Aromas auch süßer Kümmel genannt.

**Backhefe** besteht aus Hefezellen. Die Mikroorganismen vermehren sich durch Zufuhr von Zucker, Feuchtigkeit und Luft und treiben den Teig in die Höhe. Hefe darf niemals direkt mit Salz in Berührung kommen oder zu kalt verarbeitet werden, sonst geht der Teig nicht.

**Backpulver** besteht aus Natron, einem Trennmittel (Stärkepuder), Säure, Phosphaten und Salzen.

**Bittermandelöl** wird aus den ätherischen Ölen der Bittermandeln-, Aprikosen-, oder Pfirsichkerne gewonnen.

**Gelatine** wird aus Tierknochen hergestellt. Sie ist klar und geruchslos, es gibt sie sowohl farblos als auch eingefärbt, in Pulver- oder Blattform. Sie dient als Geliermittel für Cremes und Gelees.

**Gewürznelken** verfeinern Honig- und Lebkuchen. Die ganzen Nelken nimmt man für Birnen- und Apfelkompotte.

**Haselnüsse** gibt es ganz, gerieben oder gemahlen im Handel. Die wohlschmeckenden, nahrhaften Früchte des Haselnußstrauches sind eine beliebte Backzutat.

**Hirschhornsalz** ist ein Lockerungs- und Backtriebmittel, das vorwiegend für schwere Teige und für flaches Dauergebäck wie Lebkuchen verwendet wird.

**Ingwer** wird als frische Wurzel, ganz oder gemahlen und in Sirup eingelegt angeboten.

**Kardamom** hat einen würzigen, fein-herben Geschmack. Es wird vorwiegend zur Herstellung von Weihnachtsbäckerei benutzt.

**Kakaopulver** wird aus Kakaobohnen gewonnen. Es gibt schwach entöltes und stark entöltes Kakaopulver. Die Verarbeitungsqualität hängt von der Feinheit der Vermahlung ab. Stark entöltes Kakaopulver ist feiner gemahlen, klumpt nicht und eignet sich daher besser zum Aromatisieren von Teigen und Cremes.

**Kokosraspeln** bestehen aus dem getrockneten, geraspelten Fruchtfleisch der Kokosnuß. Sie werden für Kokosflocken, Kokosmakronen, Desserts und Eis verwendet.

**Korinthen** sind ungeschwefelte, kernlose, rötlich-blaue bis schwarzviolette, getrocknete Weinbeeren.

**Krokant** ist eine Mischung aus gehackten Nüssen oder Mandeln und Karamel. Es wird zum Bestreuen der verschiedensten Backwaren benutzt.

**Kuvertüre** besteht aus feinster Schokolade. Dank ihres hohen Kakaobutteranteils schmilzt sie sehr leicht und läßt sich gut verstreichen. Kuvertüre wird zum Überziehen von Kuchen und Pralinen oder für Füllungen, Massen und Teige verwendet. Abhängig vom Milch- oder Sahneanteil gibt es dunkle und helle Kuvertüren. Sie sollte nur im Wasserbad geschmolzen und nicht über 32 °C erhitzt werden.

**Marzipan** besteht je zur Hälfte aus abgezogenen Mandeln und Puderzucker und kann mit Rosen- oder Orangenblütenwasser, Zitrusschale oder Alkohol parfümiert sein.

**Mohn** wird ganz und gemahlen angeboten. Er wird für feine Füllungen und zum Bestreuen von Gebäck verwendet.

**Nougat** setzt sich aus geriebenen und gerösteten Haselnüssen oder Mandeln, Zucker, Kuvertüre und Kakaobutter zusammen. Je nach dem Röstgrad der Nüsse oder Mandeln erhält man helleren oder dunkleren Nougat.

**Orangeat** besteht aus der kandierten Schale der spanischen Bitterorange, die auch unter dem Namen „Pomeranze" bekannt ist.

**Pistazien** haben einen feinen, nussigen Geschmack, der sich gut mit Schokolade, Obst, Sahne verträgt.

**Pottasche** ist ein chemisches Triebmittel aus Kaliumcarbonat. Es ist geruchslos, schmeckt jedoch etwas nach Lauge. Wird bei Lebkuchen- und Honigbäckerei verwendet.

**Rosinen** sind die getrockneten Weinbeeren verschiedener Rebsorten. Es gibt Korinthen, Sultaninen und Traubenrosinen.

**Safran** wird zum Färben und Aromatisieren von Speisen und Teigen verwendet. Das kostbare Gewürz ist in Fäden oder als Pulver erhältlich.

**Sahnesteifmittel** bestehen aus Stärkeprodukten und Traubenzucker. Sie halten Sahne länger steif und verhindern, daß sich Flüssigkeit absetzt. Bei der Verarbeitung müssen Sie die Packungsanweisung genau einhalten.

**Süße Mandeln** zählen zu den ältesten Backzutaten. Es gibt sie ungeschält, geschält, gestiftelt, gemahlen und gehackt.

**Vanille** wird auch als Königin der Gewürze bezeichnet. Die Schoten sind die unreifen Kapselfrüchte eines lianenartigen Orchideengewächses. Sie kommen einzeln in Glasröhrchen verpackt in den Handel. Das ausgekratzte Mark verfeinert Füllungen, Teige, Massen, Cremes und Desserts.

**Walnüsse** werden mitsamt Schale, als Kerne und gemahlen angeboten. Von sehr guter Qualität sind französische und kalifornische Sorten.

**Zimt** besteht aus der getrockneten Rinde des in Asien beheimateten Zimtbaums. Es gibt zwei Arten; Ceylonzimt ist hellbraun und schmeckt zart süßlich, Kassiazimt hat eine dunklere Farbe und schmeckt etwas kräftiger.

## Fette

**Butter** mit ihrem typisch feinen Geschmack wertet die Qualität von Gebäck, Kuchen oder Cremes auf und wird deshalb von vielen beim Backen bevorzugt. Unter Anwendung eines Pasteurisierungsverfahrens wird sie aus süßem oder gesäuertem Rahm hergestellt. Süßrahmbutter hat einen milderen, Sauerrahmbutter einen frischen, aromatischen, leicht nußartigen Geschmack. Butter ohne besondere Bezeichnung liegt im Geschmack zwischen den beiden Buttersorten.

**Butterschmalz** wird hergestellt, indem Butter bei Temperaturen zwischen 40 und 50 °C geschmolzen und mit hoher Geschwindigkeit zentrifugiert wird. Dabei werden das noch in der Butter enthaltene Wasser, das Milcheiweiß und der Milchzucker abgetrennt. Das übrig gebliebene flüssige, geklärte Butterfett verträgt wesentlich höhere Temperaturen als Butter.

**Margarine** besteht aus Mischungen pflanzlicher und tierischer Fette, denen Emulgatoren, fettlösliche Vitamine, Salz, Stärke, Lecithin und Karotin zugefügt werden. Hierbei sind die Fette so ausgewählt, daß sie höhere Temperaturen vertragen.

**Pflanzenöl** muß völlig geschmacksneutral sein, damit es zum Backen verwendet werden kann. Für einen Quark-Öl-Teig beispielsweise können Sie Sonnenblumen- oder Distelöl verwenden. Beide Ölsorten zählen zu den wertvollen Ölen, das heißt sie enthalten mehrfach ungesättigte Fettsäuren und sind sehr bekömmlich.

## Mehle und Stärke

Mehl ist die Basis für jeden Teig und die unterschiedlichsten Mehlformen sorgen für die enorme Vielfalt an Backwaren, die es gibt. Die Körner nahezu aller Getreidearten wie Weizen, Roggen, Gerste, Mais und Reis können zu Mehl gemahlen werden. Nach dem Mahlgrad unterscheidet man in Auszugs- und Dunstmehl, Grieß und Schrot.

**Weizen** steht im Weltgetreideverbrauch an erster Stelle. Hartweizen wird vor allem zur Herstellung von Teigwaren und Grieß verwendet. Weichweizen wird aufgrund seiner guten Backfähigkeit zur Zubereitung von Brot und Gebäck genutzt. Zur Herstellung von feinen Backwaren werden nur die Weizenmehltypen 405 und 550 verwendet. Die gute Backfähigkeit wird beim Weizenmehl durch Eiweißstoffe, das sogenannte Klebereiweiß des Mehlkörpers bewirkt. In Verbindung mit Flüssigkeit quillt es stark auf und bildet beim Kneten eine elastische Masse, den Weizenkleber. Er ist der wichtigste Faktor für die Verwendungsmöglichkeiten des Mehles. Für einige Teigarten, zum Beispiel Hefeteig, ist der Kleberanteil des Mehls ausschlaggebend. Der Kleber bindet die Flüssigkeit im Teig, während des Backens entwickelt sich diese zu Dampf und die im Teig eingeschlossene Luft kann sich ausdehnen.

**Speisestärke** wird durch Auswaschen und Naßvermahlen der Stärkekörner gewonnen. Für feinporige, leichte und zarte Massen wie Rühr- und Biskuitteig empfiehlt es sich, Speisestärke unter das Mehl zu mischen. Denn aufgrund des hohen Kleberanteils im Weizenmehl würde der Teig zu großporig geraten, Speisestärke vermindert die Wirkung des Klebers und macht den Teig feinporig. Im Handel sind Kartoffel-Mais- und Weizenstärke erhältlich. Letztere eignet sich zum Backen am besten. Maisstärke wird zum Andicken von Süßspeisen und Saucen verwendet, Kartoffelstärke kommt bei der Herstellung von industriellen Lebensmitteln zum Einsatz.

## Zucker

Einst kostbarer Rohstoff, findet sich Zucker heute in jedem Haushalt. Beim Backen ist er eine wichtige Zutat; er süßt, bewirkt eine Gärbeschleunigung und konserviert. Backen, Einmachen und Gelieren ist ohne Zucker fast nicht denkbar. Er wird aus Zuckerrüben und -rohr gewonnen.

**Brauner Zucker** wird hergestellt, indem Rohrzucker noch weiter, aber nicht vollständig gereinigt oder dem Weißzucker nachträglich Melasse beigemischt wird. Er ist feinkörnig, hat einen karamelähnlichen, aromatischen Geschmack und eine größere Süßkraft als Weißzucker.

**Einmachzucker** ist von hoher Qualität und etwas gröber auskristallisiert. Die großen Kristalle lösen sich langsamer auf. Dadurch wird beim Einkochen von Konfitüren, Marmeladen und Kompotten eine starke Schaumbildung vermieden.

**Farin** (Farinzucker) hat eine gelbliche bis bräunliche Färbung und einen malzig-karamelartigen Geschmack. Seine weiche Kristallstruktur ist durch einen geringen Restgehalt an Melasse bedingt.

**Gelierzucker** wird zur Zubereitung von Gelees, Konfitüren und Marmeladen verwendet. Er besteht aus Raffinade, der Obstpektine und Weinstein zugesetzt wurden.

**Hagelzucker** ist granulierte Raffinade, deshalb grobkörnig. Ideal zum Bestreuen von Gebäck.

**Kandis** ist die Sammelbezeichnung für sehr grobkristallinen Zucker. Er wird aus reiner Zuckerlösung durch behutsames Auskristallisieren gewonnen. Neben reinem, weißen Kandis gibt es auch durch Zuckercouleur oder Karamel gelblich oder braun gefärbten Kandiszucker. Im Handel ist Kandis in Würfeln, Stangen oder auch gekrümelt erhältlich.

**Kluntje-Kandis** sind große, klare Kristalle, die besonders in Ostfriesland zum Süßen des Tees beliebt sind. Wenn die Kristalle im Tee zerspringen, ertönt ein feines Klingen, daher stammt die Bezeichnung „Kluntje-Kandis".

**Puderzucker** ist ein sehr fein gemahlener Zucker. Er wird zum Bestäuben und zum Glasieren von Gebäck verwendet.

**Raffinade** ist ein Zucker von höchster Reinheit und bester Qualität. Raffinade gibt es in verschiedenen Formen und Körnungen: grob, mittel und fein und agglomeriert als Würfel- und Hagelzucker.

**Vanillezucker** wird aus 5 % echter gemahlener Vanilleschote und Raffinade hergestellt. Er ist deshalb beim Backen dem Vanillinzucker vorzuziehen.

**Vanillinzucker** besteht aus dem halbsynthetischen Aromastoff Vanillin (1 %), Vanillearoma und Zucker.

**Weißzucker** ist der einfache Haushaltszucker.

**Würfelzucker** wird aus Raffinade oder Kandisfarin gepreßt und anschließend getrocknet.

**Zuckeraustauschstoffe** wie Fruchtzucker, Sorbit, Xylit werden aus pflanzlichen Grundstoffen gewonnen. Diese Stoffe kommen auch in der Natur vor. Sie sind weitgehend hitzebeständig, können wie Zucker verwendet werden und haben auch den gleichen Kaloriengehalt.

**Zuckerhut** besteht aus kegelförmig gepreßter Raffinade. Er wird vor allem für Feuerzangenbowle und als Dekoration verwendet.

# Backformen und -geräte

Backformen gibt es in den verschiedensten Größen und Formen. Zur Grundausstattung gehören ein rechteckiges Backblech, eine Kastenform (Ø 25 cm), eine Rühr- oder Napfkuchenform (Ø 18 cm), eine Springform (Ø 24 cm, 26 cm), eine Tortenbodenform mit glattem oder gewelltem Rand (Ø 26 cm, 28 cm) und einige kleine Tortelettformen (Ø10 cm).

**Aluminiumformen** sind gute Wärmeleiter. In ihnen bräunen und backen Kuchen gleichmäßig.

**Antihaftformen** oder beschichtete Formen haben sehr gute Backeigenschaften. Sie ermöglichen problemloses Backen und zählen daher zu den „Anfängerbackformen".

**Glasformen** aus feuerfestem Glas sollten nicht zu großen Temperaturen ausgesetzt werden, sonst kann das Glas springen. Sie leiten die Wärme schlecht, dadurch verlängert sich die Backzeit. Gut geeignet sind sie allerdings für Hefeteige, die lange bei niedrigen Temperaturen gebacken werden müssen.

**Keramik- und Porzellanformen** sind schlechte Wärmeleiter. Dadurch erhöht sich die Backzeit bis zu 30 %.

**Kunststofformen** dürfen nur in Elektroherden und Mikrowellen, niemals in Gasherden (schmelzen darin!) benutzt werden. Sie sind praktisch, da der Teig an ihnen nicht festklebt. Allerdings werden die Formen nach einiger Zeit unansehnlich.

**Kupferformen** haben hervorragende Backeigenschaften. Viele Profi-Konditeure schwören auf sie. Kupfer hat allerdings den Nachteil, das es sehr pflegeintensiv ist und von Zeit zu Zeit neu verzinnt werden muß.

**Schwarzblechformen** haben sehr gute Backeigenschaften. Der schwarzmatte Lack ist ein optimaler Wärmeleiter und garantiert eine gleichmäßige, intensive Bräunung des Backgutes. Darüber hinaus ist die Lackierung säurebeständig und kratzfest. Bei Gasöfen müssen Sie die Temperatur um 10 % senken.

**Steingut- und Tonformen** haben gute Backeigenschaften. Die Backzeiten können sich jedoch bis zu 25 % verlängern. Tonformen müssen Sie vor dem Backen etwa 15 Minuten in kaltes Wasser legen und in den kalten Backofen schieben.

**Weißblechformen** bestehen aus elektrolytisch verzinntem Stahlblech. Für den Gelegenheitsbäcker haben sie befriedigende Backeigenschaften, sind aber nicht resistent gegen Säuren und rostanfällig. Sie eignen sich für Gas- oder Umluftherde besser als für Elektroöfen.

## Ausfetten, Ausstreuen und Auslegen von Formen

Zum Ausfetten streichen Sie Boden und Seitenwände der Form mit Hilfe eines Backpinsels mit weicher Butter oder Margarine ein. Zusätzlich können Sie die Form noch mit Mehl oder Semmelbröseln ausstreuen. Hierfür geben Sie etwa 2 Teelöffel Mehl oder Brösel in die ausgefettete Form und drehen diese so lange, bis Mehl oder Brösel gleichmäßig verteilt sind. Springbodenformen können Sie mit Backpapier bespannen. Hierfür legen Sie ein ausreichend großes Stück Backpapier auf den Springformboden und klemmen es mit dem Tortenring ein. Zum Auslegen von Formen werden deren Umrisse auf Back- oder Pergamentpapier gezeichnet und dann das Papier ausgeschnitten. Die Form mit dem Papier auslegen und überstehende Ränder oder Ecken abschneiden.

**Backgeräte** bieten gut sortierte Haushaltswarengeschäfte in verführerischer Vielfalt an. Zu einer soliden Grundausstattung gehören folgende Geräte: Eine *Waage;* hier sind die unterschiedlichsten Ausführungen auf dem Markt und reichen von der computergesteuerten Digitalwaage bis zur Zeigerwaage mit Zuwiegeautomatik. Praktisch und platzsparend sind auch *Meßbecher,* mit denen Sie Flüssigkeiten und Mehl, Zucker etc. abmessen können. *Teigschüsseln* zum Rühren von Teig sollten aus Kunststoff sein und einen abgerundeten Boden haben. Edelstahl- oder Kupferschüsseln eignen sich gut, um Cremes und Massen aufzuschlagen oder um Schokolade im Wasserbad zu schmelzen. Ein *elektrisches Handrührgerät* (Mixer) brauchen Sie, um Teige zu rühren oder zu kneten und um Sahne sowie Eiweiß steif zu schlagen. Die einfachste Ausführung mit zwei Quirlen und zwei Knethaken ist völlig ausreichend. Eine *Küchenmaschine,* die leistungsstärker als ein elektrisches Handrührgerät ist, sollten Sie sich nur anschaffen, wenn Sie häufig größere Mengen backen. Um Massen aufzuschlagen benötigen Sie aber auch *Schneebesen* in verschiedenen Größen. Sie sollten aus Edelstahl, elastisch und nicht zu starr sein. Ebenfalls wichtige Handwerkszeuge beim Backen sind *Siebe.* Am besten sind Siebe aus rostfreiem Material. Feine Haarsiebe benötigen Sie für Kakao, Puderzucker und Zimt, gröbere Siebe zum Durchstreichen von Cremes oder Fruchtmark. Spezielle Drück-Mehlsiebe, die im Handel erhältlich sind, erleichtern das Sieben von Mehl oder Puderzucker. Neben *Kuchen- und Tortenmessern* sollten Sie noch zwei bis drei verschieden große *Paletten* besitzen, die zum Glattstreichen von Teigmassen und Kuvertüren benötigt werden. Auch die kleinen Hilfen wie *Backpinsel, Teigschaber* und *-rädchen* sollten von guter, stabiler Qualität sein. Schließlich gehören noch ein *Rollholz, Backpapier* und ein *Spritzbeutel* mit glatten sowie gezackten Spritztüllen zur Grundausstattung.

# Herde

Die genaue Kenntnis Ihres Herdes ist eine wichtige Voraussetzung für Ihre Backresultate. Denn obwohl Elektro- als auch Gasherde nach ähnlichem Prinzip arbeiten, hat jede Herdart ihre speziellen Eigenheiten. Es ist deshalb empfehlenswert, daß Sie sich die Gebrauchsvorschriften des jeweiligen Herstellers genau durchlesen. In den Rezepten des vorliegenden Buches sind Backtemperaturen und Backzeiten angegeben. Die Backzeit kann jedoch nur ein Anhaltspunkt sein, da die Temperaturregler der Backöfen nicht geeicht sind und die Öfen deshalb die eingestellte Temperatur entweder nicht erreichen oder sie sogar übersteigen können. Die Backzeiten können sich daher im Einzelfall verlängern oder verkürzen.

## Elektroherd

Der Elektroherd ist der häufigste Herdtyp in unseren Haushalten. Sein Backofen funktioniert mit Strahlungshitze, das heißt mit Ober- und Unterhitze. Hierbei wird die Hitze von oben und unten auf das Backwerk gestrahlt. Bei manchen Modellen kann man die Ober- und Unterhitze auch einzeln nutzen, dies kommt aber nur beim Sterilisieren (Unterhitze) und beim Überbacken oder Grillen (Oberhitze) in Frage.

## Heißluftherd

Bei Heißluft- oder Umluftöfen wird die Luft über Heizkörper in der Rückwand erhitzt und durch einen Ventilator ins Gerät geblasen und umgewälzt. Durch die gleichmäßige Hitze im Backraum kann auf mehreren Ebenen gleichzeitig gebacken werden, was vor allem bei Weihnachtsbäckerei von Vorteil ist. Beachten Sie, daß sich bei Heißluftöfen die angegebenen Backtemperaturen um 20 bis 30 % verringern (Empfehlungen des Herstellers berücksichtigen).

## Gasherd

Wie beim Elektrobackofen kann die Temperatur beim Gasbackofen stufenlos über einen Thermostat geregelt werden. Wenn Sie dunkle Backformen benutzen, muß die Backhitze um etwa 10 % reduziert werden.

## Mikrowellenöfen

Die Mikrowelle ist zum Backen nur bedingt geeignet, da in ihnen so gut wie keine Backkruste entsteht. Im Handel werden jedoch Backmischungen angeboten, mit denen Sie in der Mikrowelle befriedigende Ergebnisse erzielen können. Mikrowellengeräte gibt es in verschiedenen Leistungsstufen, die gebräuchlichsten haben 600 Watt. Es gibt auch Modelle mit eingebautem Grill; mit diesen Geräten können Sie auch backen. Vorzugsweise sollten Mikrowellen aber zum schnellen Auftauen von Tiefkühlbackwaren benutzt werden.

## Das Vorheizen

Der Ofen sollte beim Einschieben des Backgutes bereits auf die gewünschte Backtemperatur vorgeheizt sein. Diese Zeit müssen Sie beim Arbeitsablauf berücksichtigen, sie ist bei jedem Ofen unterschiedlich.

# Tricks und Tips fürs Backen

• Alle Zutaten und Arbeitsgeräte müssen Sie vor dem Backen bereitstellen. Die benötigten Mengen sollten jeweils abgewogen werden und falls nötig, auf Zimmertemperatur gebracht werden.

• Als ersten Schritt zunächst die jeweils benötigte Backform mit Butter oder Margarine ein- oder ausfetten; mit Ausnahme von Mürbeteig müssen die meisten Teige nach ihrer Fertigstellung sofort in den Ofen. Das Fetten von Formen gelingt leichter, wenn Sie die Formen zuerst mit heißem Wasser ausspülen und danach gründlich abtrocknen. Butter oder Margarine verteilt sich in der warmen Form besser.

• Da Springformen häufig nicht ganz exakt schließen, verwenden Sie für den Boden am besten Back- oder Pergamentpapier. Einen 3 bis 4 cm größeren Kreis als die Form ausschneiden und den Rand außen am Ring hochfalten. Auf diese Weise kann kein Teig austreten.

• Teigtropfen auf dem Rand oder an der Außenwand der Form müssen Sie unbedingt abwischen. Sie verkohlen beim Backen und beschädigen die Form.

• Das Ausrollen von Teig geht besonders leicht, wenn Sie den Teig zwischen zwei bemehlte Bogen Pergamentpapier legen.

• Plätzchenformen vor dem Ausstechen in Mehl tauchen, dann bleibt der Teig nicht so leicht hängen.

• Wenn Sie die Backofentür zum Prüfen des Gebäcks öffnen, sollten alle Türen und Fenster geschlossen sein, damit jede Zugluft vermieden wird, sonst fällt Ihnen der Kuchen zusammen. Hat die Garprobe ergeben, das der Kuchen noch etwas Garzeit benötigt, aber schon fast zu dunkel geworden ist, decken Sie die Oberfläche mit Pergamentpapier ab. Niemals die Temperatur zu stark reduzieren, dadurch besteht die Gefahr, daß der Kuchen einfällt.

• Das Stürzen von Kuchen aus der Form auf das Kuchengitter geht leichter, wenn Sie das Gitter auf die Form legen. Form und Kuchengitter mit Küchentüchern umfassen und umwenden.

• Kuchen, die Ihnen zu dunkel geraten sind, können gerettet werden, indem Sie mit einem scharfen Messer die dunkle Oberfläche abkratzen, eventuell auch dünn abschneiden und den Kuchen anschließend mit einer dicken Glasur aus Zuckerguß oder Schokolade überziehen.

• Kuchen- und Tortenböden vor der weiteren Verarbeitung gut auskühlen lassen. Am besten über Nacht mit einem Küchentuch bedecken.

• Ungleichmäßig gebackene Oberflächen eines Tortenboden können Sie mit einem scharfen Messer glatt abschneiden und den Boden dann umdrehen.

• Mehl, Backpulver und Puderzucker müssen Sie grundsätzlich vorher durchsieben, eventuelle Klümpchen lösen sich bei der Verarbeitung im Teig nicht mehr auf.

• Sahne und Eiweiße lassen sich leichter steif schlagen, wenn sie gut gekühlt sind. Bei Eiweiß können Sie vorsorglich ein paar Tropfen kaltes Wasser hinzufügen, damit die Masse auch wirklich steif wird.

• Wenn Sie unter Zuckerguß eine Prise Backpulver mischen, bleibt er länger weich und streichfähig.

• Setzt sich die Gelantinelösung bei der Zugabe in Klümpchen ab, so ist die Masse, in die sie gegeben wird, zu kalt. Die Zutaten sollten immer Zimmertemperatur haben.

• Gewürze behalten Ihre Würzkraft nicht länger als ein Jahr, auch wenn sie dunkel und luftdicht aufbewahrt werden. Kaufen Sie Ihre Gewürze am besten unzerkleinert und notieren Sie den Tag des Einkaufs auf dem Gewürzbehälter.

• Benutzen Sie zum Backen nur frische Eier und machen Sie zunächst einen Frischetest, in dem Sie Eigelb und Eiweiß eines Eis voneinander trennen. Ein frisches Ei erkennen Sie beim Aufschlagen daran, daß das Eigelb hoch gewölbt und das Eiweiß fest ist. Bei einem älteren Ei ist das Eigelb flacher und das Eiweiß flüssiger. Empfindliche Teige, wie zum Beispiel Biskuitteige, müssen unbedingt mit ganz frischen Eiern hergestellt werden, sonst geht der Teig beim Backen nicht auf. Bevor Sie alle benötigten Eier aufschlagen, sollten Sie deshalb zunächst ein Ei auf seine Frische hin prüfen. Bei Cremes und Füllungen, die nicht erhitzt werden, versteht es sich von selbst, daß Sie aufgrund der Salmonellengefahr nur auf beste Eiqualität zurückgreifen können.

# Rührteig

## Schnell und fein

Der Rührteig gehört zu den Teigen, die am einfachsten und schnellsten herzustellen sind. Rein fachlich gesehen müßte der Rührteig eigentlich „Rührmasse" heißen, da er weder geknetet oder geschlagen, sondern eben nur gerührt wird. Nahezu alle festen Kuchen in Napf- und Kastenformen werden mit Rührteig hergestellt. Marmorkuchen, Königskuchen und Rehrücken sind nur einige Beispiele dafür. Für gedeckte Obstkuchen und für Schicht- oder Lagetorten findet diese Teigart ebenfalls Verwendung. Wie die Bezeichnung verrät, wird dieser Teig durch gleichmäßiges Rühren hergestellt.

## Die Zutaten

Die Hauptbestandteile des Rührteigs sind Butter, Zucker, Eier, Mehl und Speisestärke. Durch Zugabe von Nüssen, Mandeln, Rosinen, Trockenfrüchten oder Kakaopulver kann die Teigmasse beliebig variiert werden. Darüber hinaus können Sie einen Rührteigkuchen durch eine Zucker-, Zitronen- oder Schokoladeglasur geschmacklich anreichern. Wichtig für das Gelingen des Rührkuchens ist nur, daß Mengenangabe und Reihenfolge der Zutaten genau eingehalten werden. Manche Profibackbetriebe geben alle Zutaten auf einmal in die Rührschüssel und vermengen das Ganze in der Küchenmaschine

auf höchster Drehzahl etwa 1 Minute. Diese Methode ist jedoch nur dann empfehlenswert, wenn Sie eine moderne Küchenmaschine mit der nötigen Drehleistung besitzen, da die Gefahr besteht, daß sich der Zucker nicht vollständig auflöst und der Teig dadurch gerinnt. Grundsätzlich sollten Sie beim Backen ohnehin feinkörnigen Zucker verwenden, dieser verbindet sich besser mit den anderen Zutaten als grobkörniger. In manchen Rezepten werden die Eier getrennt verarbeitet und das Eiweiß zu Schnee geschlagen. Dann sollten Sie die Eier sofort trennen, nachdem Sie sie aus dem Kühlschrank genommen haben und die Eiweiße gleich steifschlagen.

## GRUNDREZEPT
# Rührteig

*Für eine Kastenform von ca. 2 l Inhalt*
**Zubereitungszeit**
*ca. 35 Min.*

| |
|---|
| *250 g weiche Butter* |
| *250 g Zucker* |
| *1 P. Vanillezucker* |
| *1 Prise Salz* |
| *1/2 EL abgeriebene Schale* |
| *einer unbehandelten Zitrone* |
| *4 Eier* |
| *300 g Mehl* |
| *200 g Speisestärke* |
| *1 P. Backpulver* |
| *6 EL Milch* |
| *evtl. 6 cl Rum oder Weinbrand* |

### So wird's gemacht
1. Butter, Zucker, Vanillezucker, Salz und Zitronenschale in eine Schüssel geben. Das Ganze mit dem Handrührgerät, dem Schneebesen oder in der Küchenmaschine so lange schaumig rühren, bis die Butter weiß ist (Foto 1).
2. Die Eier einzeln dazugeben und unterrühren. Das nächste Ei erst zugeben, wenn das vorhergehende sich völlig unter die Masse gemischt hat.
3. Mehl mit Speisestärke sowie Backpulver vermischen und durchsieben. Unter ständigem Rühren das Mehl eßlöffelweise zur Masse geben. Sobald der Teig zäh wird und sich nur schwer rühren läßt, etwas Milch hinzufügen (Foto 2).
4. Wenn das gesamte Mehl und die ganze Milch eingearbeitet sind, den Teig nochmals kurz auf höchster Stufe durchrühren, bis er schwer vom Löffel fällt (Foto 3). Zum Schluß nach Geschmack Rum oder Weinbrand hinzufügen. Den Teig in die vorbereitete Form füllen, glattstreichen und backen (Foto 4).

Foto 1

Foto 2

Foto 3

Foto 4

## Variation

Eine beliebte Variation ist der sogenannte „Eischwer-Teig". Hierfür verwendet man Eier der Gewichtsklasse III, die etwa 50 g wiegen. Die übrigen Zutaten sollten dem Gewicht der Eier entsprechen. Bei einem Teig mit 4 Eiern benötigen Sie also 200 g Butter, 200 g Zucker und 200 g Mehl. Bei dieser Zubereitungsmethode können Sie das Backpulver weglassen und der Kuchen schmeckt feiner.

### Rührteig backen
Hierfür müssen Sie die jeweilige Form dünn mit Butter ausstreichen und dünn mit Mehl oder Semmelbröseln ausstreuen. Die Form mit der Öffnung nach unten leicht auf einen Tisch schlagen und überschüssiges Mehl oder überschüssige Semmelbrösel abklopfen. Den Rührteig in die Form füllen und das Ganze auf der untersten Schiene des Backofens bei 190 °C etwa 1 Stunde backen.

### Die Stäbchenprobe
Nach der Backzeit den Kuchen in der Mitte mit einem Holzspieß bis zum Boden durchstechen. Bleibt am Holz noch feuchte Masse hängen, muß weitergebacken werden. Bleibt der Spieß trocken, ist der Kuchen fertig.

### Aus der Form lösen
Den fertigen Kuchen aus dem Ofen nehmen und etwa 10 Minuten in der Form stehen lassen. Den Kuchen mit einem schmalen, spitzen Messer vom Rand lösen. Vorsichtig aus der Form gleiten lassen und mit dem Boden nach unten auf einem Gitter auskühlen lassen. Wenn sich der Kuchen nicht problemlos aus der Form lösen läßt, die Form mit einem kalten, feuchten Tuch abschrecken.

# Mürbeteig

## Zarter Genuß

Der Mürbeteig bildet die Basis für zahlreiche Obstböden und feine Torten. Er findet sich aber auch in Rezepten für herzhafte Speckkuchen wieder, kurz, es gibt ihn in süßer und salziger Variation. Der leicht gesalzene ist auch eine ideale Unterlage für viele Kuchen. Denn einerseits ist er geschmacksneutral, andererseits bildet sein leichter Salzgeschmack einen reizvollen Gegensatz bei Kuchen mit sehr süßen Füllungen wie zum Beispiel solchen aus Mandeln und Nüssen. Der süße Mürbeteig kommt vor allem bei den vielen Plätzchenrezepten der Weihnachtsbäckerei zum Einsatz. Aber auch die berühmte Linzer Torte ruht auf einem Fundament aus süßem Mürbeteig.

## Die Zutaten

Eine altbewährte Grundformel für den Mürbeteig lautet 1–2–3; wobei 1 ein Teil Zucker bedeutet, 2 zwei Teile Butter und 3 drei Teile Mehl. Je höher der Fettanteil ist, um so „mürber" wird der Teig und desto besser schmeckt er. Wichtig ist hierbei, daß die Butter gut gekühlt ist. Wenn Sie bei süßem Mürbeteig anstelle von Zucker Puderzucker verwenden, wird die Oberfläche des Teiges besonders glatt und Sie können ihn besser verarbeiten. Außer den genannten 1–2–3-Zutaten kommen in den Mürbeteig noch 1 bis 2 Eier und je nach Verwendung, bei Süßgebäck Gewürze wie Zimt und Kardamom, und für salziges Gebäck Paprika- oder Currypulver. Traditionsgemäß wird Mürbeteig mit der Hand geknetet. Das sollte relativ rasch gehen und die Hände müssen kühl sein. Bevor Sie den Teig kneten können, müssen Sie Mehl, Butter, Zucker und Ei aber zunächst auf einer Arbeitsfläche mit einer Palette zu Streuseln hacken. Profis arbeiten hier auf Marmorplatten. Diese sind nicht nur kratzfest, sie strahlen auch die nötige Kälte ab, die bei der Zubereitung von Mürbeteig wichtig ist.

## GRUNDREZEPT
# Süßer Mürbeteig

*Für ca. 600 g Teigmenge*
*(Springform von 26 cm Ø)*
**Zubereitungszeit**
*ca. 25 Min.*
**Zeit zum Kühlen**
*ca. 1 Std.*

300 g Weizenmehl
200 g gut gekühlte Butter
70 g Zucker oder Puderzucker
1 Prise Salz
1 Ei

### So wird's gemacht

1. Das Mehl auf eine Arbeitsfläche sieben und in die Mitte eine Vertiefung drücken. Die Butter stückchenweise in die Vertiefung geben, Zucker und Salz darüberstreuen.
2. Das Ganze mit den Händen etwas zusammenschieben und dann mit einer Palette oder einem großen Brotmesser durchhacken (Foto 1).
3. Die Butter-Zucker-Mischung so lange mit der Palette unter das Mehl hacken, bis Streusel entstehen (Foto 2). Das muß schnell gehen, damit die Butter nicht zu weich wird.
4. Eine Vertiefung in die Mitte drücken und das Ei hineingeben (Foto 3). Die Mischung mit kühlen Händen zu einem glatten Teig verarbeiten. Den Teig zu einer Kugel formen, flachdrücken (Foto 4), in Klarsicht- oder Alufolie wickeln und etwa 1 Stunde kühl stellen.

### Obstboden backen

Den Backofen auf 200 °C vorheizen. Den Teig auf einer kalten, mit wenig Mehl bestäubten Arbeitsplatte rund und möglichst nicht zu dünn ausrollen. Den Teig in eine Obstbodenform geben und mit bemehlten Händen fest in die Vertiefung drücken. Der Teigrand sollte glatt mit dem

Foto 1

Foto 2

Foto 3

Foto 4

Formenrand abschließen. Ihn mit einer Gabel mehrmals einstechen, damit sich beim Backen keine Blasen bilden, die den Boden ungleichmäßig machen würden. Auf der mittleren Einschubleiste etwa 25 Minuten backen. Nach dem Backen den Boden noch einige Minuten in der Form lassen, dann läßt er sich leichter stürzen. Auf einem Kuchengitter auskühlen lassen.

### Blind backen

Tortenböden aus Mürbeteig müssen in manchen Fällen ohne Füllung vorgebacken werden. Zum Beispiel, wenn die Füllung entweder gar nicht, oder nur kurz gebacken wird. Das nennt man „blind backen". Hierzu wird der Teig, wie oben beschrieben, ausgerollt und in die Form gegeben. Mit einer Gabel mehrmals einstechen und mit Back- oder Pergamentpapier belegen. Die Form mit Hülsenfrüchten (z.B. Linsen) füllen und das Ganze backen. Nach dem Backen die Hülsenfrüchte mitsamt dem Papier herausnehmen. Die Hülsenfrüchte können Sie beliebig oft zum Blindbacken verwenden.

### Aufbewahrung

Ungebackener Mürbeteig läßt sich sehr gut einfrieren und hält sich im Tiefkühlgerät 2 bis 3 Monate. Im Kühlschrank können Sie den Teig (luftdicht in Klarsicht- oder Alufolie gepackt) 8 bis 10 Tage aufbewahren. Das ist sehr praktisch, wenn Sie einmal wenig Zeit haben. Sie können den Teig zubereiten, kühl stellen und am nächsten Tag oder später weiterverarbeiten.

# Biskuitteig

## Luftiges Gebilde

Der Begriff „Biskuit" ist aus dem Französischen übernommen und bedeutet übersetzt „Zwieback". Das Wort wird aus dem lateinischen „biscoctum", „zweimal gebacken" abgeleitet und bezeichnete ursprünglich den Schiffszwieback, von dem sich die Seeleute ernährten. Dieser mußte zweimal gebacken werden, damit er sich möglichst lange hielt. Erst im 17. Jahrhundert wandelte sich die Bedeutung in „feines Gebäck", nachdem Zwieback als Begriff geprägt wurde. Heute verstehen wir unter Biskuit die edlen, luftig-zarten Gebäcke, die auf der Zunge zergehen. Biskuitteige

sind die wichtigste Grundlage für alle feinen und gefüllten Torten und für Biskuitrouladen.

## Die Zutaten

Bei Biskuitteig kann man eigentlich nicht von einem Teig sprechen, es handelt sich vielmehr um eine schaumige Masse aus Eiern, Zucker, Mehl und – bei dieser Teigart ausschlaggebend – Luft. Sie wird beim Schlagen in winzigen Bläschen unter die Eimasse gearbeitet, wodurch diese locker, schaumig und sehr voluminös wird. Beim Backen dehnt sich die Luft zusätzlich aus und treibt damit das Gebäck in die Höhe. Daher ist die Luft beim

echten Biskuitteig das einzige Trieb- und Lockerungsmittel. Ganz wichtig ist in diesem Zusammenhang auch die Qualität der Eier. Für den Biskuitteig müssen die Eier garantiert frisch sein; nur frische Eier können genügend Luft aufnehmen. Machen Sie also in jedem Fall zuerst einen Frische-Test, indem Sie die Eier für den Teig einzeln über zwei Tellern aufschlagen und in Eigelbe und Eiweiße trennen. Die Eigelbe müssen hoch gewölbt, rund und fest sein. Beim Eitrennen sollten Sie darauf achten, daß keinesfalls Eigelbreste in das Eiweiß geraten. Für Biskuitteig werden die Eier immer getrennt und das Eiweiß wird ganz steif geschlagen, bevor es zur Eimasse gegeben wird. Üblicherweise verwendet man für einen Biskuitteig gleiche Mengen Eigelb und Eiweiß. Wenn Sie einen sehr feinporigen, kräftig gelben Teig wünschen, können Sie die Eigelbmenge etwas erhöhen. Verstärken Sie die Eiweißzugabe, wird der Teig sehr locker und geht stärker auf. Für eine zusätzliche Lockerung des Teiges sorgt auch das Wasser mit dem die Eigelbe zusammen geschlagen werden. Pro Ei rechnet man einen Eßlöffel Wasser, insgesamt sollten Sie aber nicht mehr als sechs Eßlöffel zugeben. Nehmen Sie am besten kaltes Wasser, bei heißem Wasser könnten die Eiweißreste am Eigelb zu Klümpchen gerinnen, die sich später nicht mehr auflösen.

## GRUNDREZEPT
# Biskuitteig

*Für eine Springform von 24 cm Ø*
**Zubereitungszeit**
*ca. 30 Min.*

| |
|---|
| 4 Eiweiß |
| 1 Prise Salz |
| 120 g Zucker |
| 4 Eigelb |
| 80 g Mehl |
| 40 g Speisestärke |
| 1 Msp. Backpulver |
| Butter für die Form |

### So wird's gemacht
1. Den Backofen auf 180 °C vorheizen. Eiweiße zusammen mit Salz steif schlagen, dabei ein Drittel des Zuckers einrieseln lassen.
2. Eigelbe, 4 Eßlöffel kaltes Wasser und restlichen Zucker kräftig schaumig schlagen, bis eine cremige, voluminöse Masse entsteht (Foto 1).
3. Mehl, Speisestärke und Backpulver vermischen. Den Eischnee auf

Foto 1

Foto 2

Foto 3

Foto 4

die Masse geben und das Mehl darübersieben (Foto 2).
4. Mit einem Schneebesen Eischnee und Mehl vorsichtig unterheben (Foto 3). Hierfür den Schneebesen von unten nach oben durch den Teig ziehen und dann sanft wieder herunterfallen lassen. Den Vorgang wiederholen, bis kein trockenes Mehl mehr sichtbar ist. Auf keinen Fall rühren.
5. Den Boden einer Springform mit Backpapier bespannen. Die Form zusammensetzen. Die Biskuitmasse hineinfüllen (Foto 4) und glattstreichen. Auf der mittleren Einschubleiste des Ofens etwa 30 Minuten backen.

### Biskuitteig backen
Bei Biskuitteigen dürfen Sie den Rand der jeweiligen Springform keinesfalls fetten. Der Boden hat dann keinen Halt, außerdem besteht die Gefahr, daß das Fett in den Teig eindringt und diesen zum Zusammenfallen bringt. Biskuitteig verträgt nur sanfte Hitze. In der Regel bäckt man hohe Torten bei 180 °C (Gas Stufe 2), flache Arten wie Biskuitrollen bei etwa 200 °C (Gas Stufe 3). Bei zu hohen Temperaturen bildet sich zu schnell eine harte Kruste, die den darunterliegenden Teig am Aufgehen hindert. Auch starke Temperaturschwankungen verträgt der Teig nicht. Der Backofen sollte immer bereits die richtige Wärme haben, wenn Sie die Form hineingeben. Der Kuchen wird kurz vor Ende der Backzeit mit einer Stäbchenprobe kontrolliert, nie früher. Wird die Ofentür zu früh geöffnet, fällt Ihr Backwerk durch die eintretende kalte Luft zusammen.

# Hefeteig

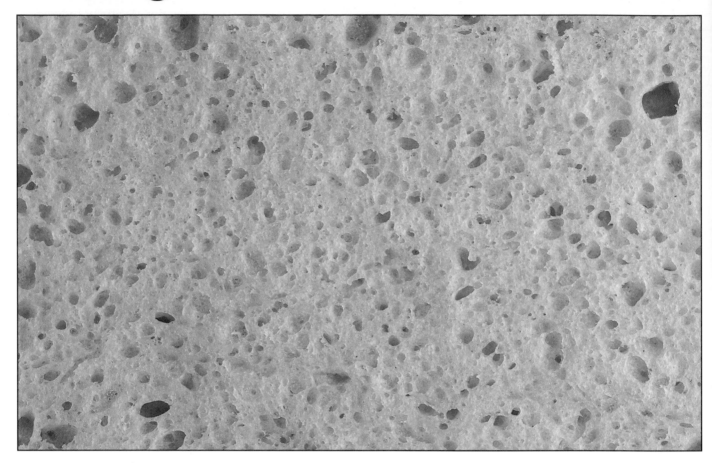

## Fein-säuerlich

Dieser Teig gehört zu den vielseitigsten Teigen überhaupt, da man aus ihm vom einfachen Hefezopf, Hefekuchen mit oder ohne Obst bis zum feinsten Plunderhörnchen eine große Anzahl verschiedenster Gebäcke herstellen kann. Angeblich waren die Ägypter um 1500 v. Chr. schon in der Lage, fast reine Hefe herzustellen. Allerdings wurde sie um diese Zeit äußerlich zu Heilzwecken verwendet. Als Triebmittel für Kuchen- und Brotteige ist die Hefe etwa seit dem 16. Jahrhundert bekannt. Hefezellen sind eine lebendige Substanz, die sich durch Feuchtigkeit und Wärme vermehren,

daraus resultiert auch die enorme Treibkraft der Hefe. Der typische, fein-säuerliche Geschmack von Hefegebäck entsteht unter anderem durch den Gärungsprozeß der Hefezellen.

## Die Zutaten

Wie der Name schon sagt, bildet Hefe den wichtigsten Bestandteil beim Hefeteig. Sie lockert den Teig und dehnt ihn aus. Die Hefezellen können nur wirken, wenn man ihnen die richtigen Lebensbedingungen schafft, das heißt Temperaturen um 37 °C und Nahrung. Die Nahrung besteht hier aus Zucker, den die Hefezellen unter anderem in

Kohlendioxid umwandeln. Das Kohlendioxid treibt den Teig nach oben und sorgt für die Luftigkeit des Teiges. Damit dieser Prozeß richtig in Gang kommen kann, wird die dementsprechende Zeit dafür benötigt. Deshalb muß der Hefeansatz immer „gehen", bevor er mit den übrigen Teigzutaten weiterverarbeitet werden kann. Sie können Hefeteige sowohl mit frischer Hefe als auch mit Trockenhefe zubereiten. Die frische Hefe ist der trockenen aber vorzuziehen, Sie erzielen damit die besseren Backresultate. Der Hefeansatz wird mit lauwarmer Milch und etwas Zucker angerührt. Die Milch muß unbedingt lauwarm sein, damit die Hefezellen gleich auf die richtige

Temperatur gebracht werden. Die Temperatur ist bei der Zubereitung überhaupt ausschlaggebend. Achten Sie darauf, daß alle Zutaten gleichmäßig warm sind. Sollten Sie also Ihr Mehl kühl aufbewahren, lassen Sie es gut 2 Stunden vor der Verwendung Zimmertemperatur annehmen. Margarine oder Butter müssen vor dem Zugeben geschmolzen werden und auch die Eier sollten nicht direkt aus dem Kühlschrank verwendet werden, sondern zimmerwarm sein.

## GRUNDREZEPT
# Hefeteig

*Für etwa 1 kg Teig*
*(Kastenform mit ca. 1,8 l Inhalt)*
**Zubereitungszeit**
*ca. 30 Min.*
**Zeit zum Gehen**
*ca. 1 Std. 15 Min.*

| |
|---|
| 35 g frische Hefe |
| 300 ml lauwarme Milch |
| 5 EL Zucker |
| 70 g Butter |
| 500 g Mehl |
| 1 Prise Salz |
| 1 Ei |
| 1 Eigelb |

**So wird's gemacht**
1. Die Hefe in die Milch bröckeln, eine gute Prise Zucker hinzufügen (Foto 1) und das Ganze gut verrühren. Den Ansatz mit einem Küchentuch zudecken und an einem warmen Ort 20 bis 25 Minuten gehen lassen.
2. Die Butter schmelzen und abkühlen lassen, bis sie handwarm ist. Mehl, Salz, Ei, Eigelb, restlichen Zucker und Butter in eine Schüssel geben. Den Hefeansatz dazugießen und alles von Hand

Foto 1

Foto 2

Foto 3

Foto 4

oder mit dem Knethaken des Handrührgerätes vermengen (Foto 2).
3. Den Teig kräftig kneten oder mit der Hand schlagen, bis er sich vom Schüsselrand löst, glatt und trocken ist (Foto 3). Ist der Teig zu fest, noch etwas Milch hinzufügen, ist er zu weich, etwas Mehl dazugeben.
4. Den Teig zu einer Kugel formen, mit wenig Mehl bestäuben und die Schüssel mit einem Tuch zudecken. Den Teig an einem warmen Ort nochmals 20 bis 25 Minuten gehen lassen, bis sich sein Volumen verdoppelt hat (Foto 4).
5. Nun den Teig nochmals kräftig durchkneten und in die gewünschte Form bringen. Das geformte Gebäck nochmals zugedeckt etwa 15 Minuten gehen lassen. Bei 220 °C auf der untersten Einschubleiste je nach Gebäckart 35 bis 40 Minuten backen.

**Einen Zopf flechten**
Eine Arbeitsfläche dünn mit Mehl bestäuben. Den Hefeteig in drei gleich große Stücke teilen. Die Teigstücke mit bemehlten Händen zu gleich dicken Strängen rollen. Die Stränge an einem Ende zusammendrücken und so hinlegen, daß zwei Stränge rechts und ein Strang links liegen. Nun den rechten Strang über den mittleren legen. Den linken Strang über den nun in der Mitte liegenden Strang legen. Dann wieder den rechten über den Mitte liegenden usw. Die Stränge am anderen Ende wieder zusammendrücken.

# Quark-Öl-Teig

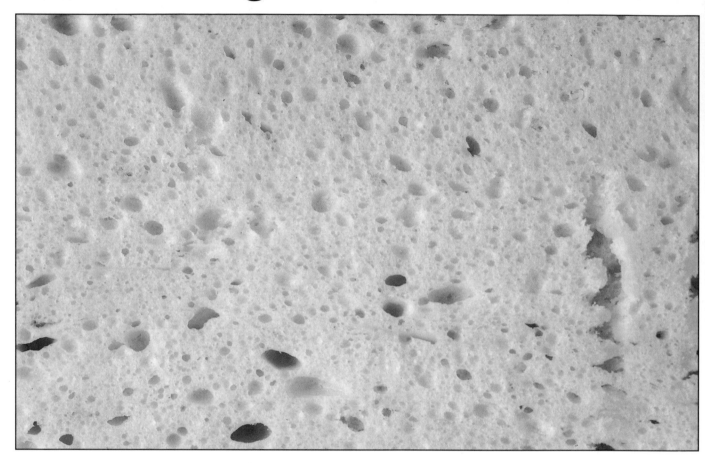

## Leicht und locker

Dieser Teig ist ausgesprochen leicht, feinwürzig mit einer erfrischend säuerlichen Note. Sie können ihn nach Belieben formen und füllen. Die berühmten Pflaumenmus-Taschen oder „Powidldatschgerln", wie diese Köstlichkeit im Original genannt wird, bestehen zum Beispiel aus einem Quark-Öl-Teig. Aber auch Weihnachstollen, gefüllt mit einer Nuß-Marzipan-Mischung oder herzhaftes Backwerk wie Pizza und Gemüsekuchen werden mit dieser Teigart zubereitet. Frisch gebacken und sofort serviert schmeckt Backwerk aus Quark-Öl-Teig am besten.

## Die Zutaten

Die Grundzutaten dieses Teiges sind Quark, Öl, Mehl sowie Backpulver. Je nach Feuchtigkeitsgehalt des Quarks können Sie noch ein wenig Milch dazugeben, der Teig läßt sich dann besser rühren. Den Quark können Sie in allen Fettstufen verwenden, wobei Magerquark den Teig nicht nur kalorienärmer, sondern auch „luftiger" werden lässt als Sahnequark. Außerdem erhält der Teig durch das Öl den nötigen Fettgehalt und dadurch seine Geschmeidigkeit, die Verwendung von Sahnequark ist also reine Geschmackssache. Für alle Arten von süßem Gebäck sollten Sie vorzugsweise neu-

trales Pflanzenöl nehmen. Nur bei ungesüßten Teigen mit pikanten Füllungen können Sie auch Olivenöl verwenden. Mehl und Backpulver werden immer gemeinsam verarbeitet. Mischen Sie das Backpulver unter das Mehl und sieben Sie beides durch. Bei der Menge des Mehls sollten Sie davon ausgehen, daß Sie ungefähr das doppelte Gewicht des Quarks benötigen, wobei es je nach Feuchtigkeit des Quarks mal etwas mehr oder etwas weniger Mehl sein kann. Wenn Sie den Teig mit den Händen kneten, spüren Sie es automatisch. Ein perfekter Quark-Öl-Teig ist weich und elastisch, aber nicht klebrig. Bei süßem Gebäck wird Zucker in die Quarkmischung eingearbeitet. Die Menge hängt vom Backwerk ab, sie sollte jedoch ein Viertel des Mehls nicht überschreiten. Eier können, müssen aber nicht in den Teig. Ein ganzes Ei oder ein Eigelb verbessern jedoch den Geschmack des Backwerks und lassen es besser bräunen. Zusätzliche Gewürze wie abgeriebene Schalen von Zitrusfrüchten, Vanillezucker und Zimt bereichern das Aroma des Teiges. Sämtliche Würzzutaten sollten jedoch grundsätzlich zu Beginn unter den Quark gemischt werden.

## GRUNDREZEPT
# Süßer Quark-Öl-Teig

*Für etwa 1 kg Teig*
**Zubereitungszeit**
*ca. 30 Min.*

| |
|---|
| 250 g Magerquark, 1 Ei |
| 100 g Zucker |
| 1 Prise Salz, 6 EL Milch |
| 1/8 l Öl, 500 g Mehl |
| 1–11/2 P. Backpulver |

**So wird's gemacht**

1. Quark zusammen mit Ei, Zucker, Salz sowie Milch in eine Rührschüssel geben. Die Zutaten mit dem Handrührgerät gründlich verquirlen (Foto 1). Nach und nach das Öl in dünnem Strahl hineinfließen lassen.

2. Sobald alles gut vermischt ist, etwa die Hälfte des mit Backpulver vermengten Mehls auf die Masse sieben. Das Mehl mit dem Handrührgerät so lange einarbeiten, bis eine zähe, gleichmäßige Masse entstanden ist (Foto 2).

3. Das restliche Mehl auf eine Arbeitsfläche sieben und in die Mitte eine Mulde drücken. Die Quarkmasse in die Mulde gleiten lassen.

Foto 1

Foto 2

Foto 3

4. Mit beiden Händen von außen nach innen zu einem elastischen Teig verkneten (Foto 3). Dabei möglichst schnell arbeiten, damit der Teig nicht zu warm wird.

5. Den Teig in die jeweilige Form bringen und je nach Gebäckart im auf 175 bis 200 °C vorgeheizten Backofen etwa 30 Minuten backen (gefüllte Backwaren benötigen eine etwas längere Backzeit).

**Quark-Öl-Teig füllen**

Hier gibt es verschiedene Möglichkeiten. So gibt es zum Beispiel feine, gefüllte Stollen die mit einem Quark-Öl-Teig zubereitet werden. Der Vorteil an diesem Teig ist der geringe Zeitaufwand. Der Teig lässt sich relativ rasch und einfach herstellen und muß nicht aufgehen oder ruhen. Wenn Sie einen Stollen füllen wollen (z.B. mit Nuß- oder Mohnmasse) bereiten Sie den Teig wie oben beschrieben zu. Den Teig auf einer bemehlten Arbeitsfläche zu einem Rechteck von 30 x 40 cm ausrollen. Dabei nicht zu viel Mehl nehmen, sonst wird der Teig zu trocken. Die Fülle auf die Teigplatte streichen. Den Teigboden von beiden Längsseiten aus zur Mitte hin einrollen. Die Rollen zu einer Stollenform halb aufeinander legen und leicht andrücken. Auf ein gefettetes oder mit Backpapier belegtes Blech legen und etwa 50 Minuten backen. Für sogenannte „Teilchen" ist der Quark-Öl-Teig besonders gut geeignet. Sehr fein sind Teigtaschen, die mit Marmelade (Pflaumen- oder Aprikosenmarmelade) gefüllt werden. Für die Taschen den Teig auf einer bemehlten Arbeitsfläche 4 mm dick ausrollen und zu etwa 12 cm großen Quadraten ausradeln. Jeweils einen Eßlöffel Pflaumen- oder Aprikosenmarmelade auf die Quadrate geben. Je zwei Seiten der Quadrate mit verquirltem Ei bestreichen. Die Teigquadrate diagonal über die Füllung zusammenklappen und die Schnittkanten sorgfältig mit einer Gabel festdrücken. Dabei entstehen Rillenmuster an den Schnittkanten. Die Taschen mit verquirlter Eigelb-Milch-Mischung bestreichen und mit ausreichendem Abstand zueinander auf ein gefettetes Backblech setzen. Auf der mittleren Einschubleiste im auf 200 °C vorgeheizten Ofen etwa 25 Minuten backen. Noch warm servieren.

# Brandteig

## Erst kochen, dann backen

Krapfen, Windbeutel und die berühmten Eclairs werden aus Brandteig gezaubert. Im Gegensatz zu anderen Teigen muß der Brandteig zuerst gekocht werden, bevor er gebacken werden kann. Das Mehl wird hier in kochendes Butterwasser eingerührt. Das Ganze wird so lange weitergerührt, bis sich ein fester Kloß gebildet hat. Dieser wird so lange weitergerührt, bis sich auf dem Topfboden ein weißer Belag absetzt. Diesen Vorgang nennt man in der Fachsprache „abbrennen", daher hat diese Teigart ihren Namen.

## Die Zutaten

Im allgemeinen besteht Brandteig lediglich aus Wasser, Fett, Salz, Mehl und Eiern. Unter Umständen kommt auch etwas Zucker hinzu, grundsätzlich aber sehr wenig, da er beim Abbrennen karamelisieren und anbrennen kann. Dies beeinträchtigt den Geschmack des Teiges. Bei Backwaren, die später süß gefüllt werden, wie zum Beispiel Windbeuteln, können Sie auf den Zucker ganz verzichten. Die Wahl des Fettes bleibt Ihnen überlassen; Sie können Brandteig je nach Belieben mit Butter, Margarine oder Butterschmalz zubereiten. Das Backresultat wird durch die Fettart nicht beeinflußt. Triebmittel wie Backpulver benötigt der Brandteig eigentlich zum Aufgehen nicht. Wenn Sie jedoch ganz sichergehen wollen, können Sie zum Schluß 1 Teelöffel Backpulver zum Teig geben. Hierfür muß dieser aber vollständig abgekühlt sein, sonst verliert das Backpulver seine Triebkraft. Die Anzahl der Eier kann beim Brandteig variieren, das Mindestmaß liegt bei 3, das Maximum bei 6 Stück. Dabei sollten Sie darauf achten, daß jedes Ei vollständig mit dem Teig verbunden sein muß, bevor Sie das nächste dazugeben. Der fertige Teig sollte in langen, festen Spitzen vom Holzlöffel fallen und stark glänzen.

## GRUNDREZEPT
# Brandteig

*Für etwa 450 g Teig*
**Zubereitungszeit**
*ca. 30 Min.*

| |
|---|
| *1/8 l Wasser* |
| *60 g Butter* |
| *1 Msp. Salz* |
| *evtl. 1/2 TL Zucker* |
| *100 g Mehl* |
| *2–3 Eier (je nach Größe)* |
| *1 TL Backpulver* |
| *Butter und Mehl fürs Blech* |

### So wird's gemacht

1. Wasser zusammen mit Butter, Salz und eventuell Zucker zum Kochen bringen. Inzwischen das Mehl auf ein Stück Pergamentpapier sieben.
2. Sobald sich die Butter mit dem Wasser verbunden hat, den Topf vom Herd nehmen und das Mehl auf einmal hineinschütten (Foto 1). Das Ganze mit einem Holzlöffel glattrühren.
3. Den Topf wieder auf die Herdplatte stellen. Die Masse bei schwacher Hitze so lange rühren, bis sich ein Kloß und weißer Belag am Topfboden bildet (Foto 2).
4. Den Teig in eine Schüssel füllen und sofort ein Ei unterrühren (Foto 3). Die Brandmasse auf Handwärme abkühlen lassen und die restlichen Eier nacheinander dazugeben. Jedes Ei einzeln gut mit dem Teig verrühren.
5. Zum Schluß das Backpulver zum Teig geben (Foto 4). Der fertige Teig muß glatt, geschmeidig und spritzfähig sein. Den Teig in einen Spritzbeutel füllen und je nach Rezept in gewünschter Form auf ein gefettetes und leicht bemehltes Backblech spritzen.

Foto 1

Foto 2

Foto 3

Foto 4

### Brandteig backen

Backwaren aus Brandteig werden bei etwa 220 °C gebacken. Die Backzeit variiert je nach Größe des Gebäcks zwischen 15 und 25 Minuten. Wenn Sie nach dem Einschieben des Blechs eine Tasse Wasser in den aufgeheizten Backofen gießen, geht ihr Backwerk durch den entstehenden Wasserdampf besser auf. Während der ersten 15 Minuten sollten Sie die Ofentür keinesfalls öffnen, sonst fallen die Teile garantiert zusammen. Ob Ihr Backwerk gar ist, erkennen Sie außer an Farbe und Duft auch den der Färbung des Mehls auf dem Blech. Es sollte dunkelbraun, aber nicht schwarz sein. Windbeutel und Eclairs müssen nach dem Backen sofort mit einer Küchenschere aufgeschnitten werden, damit die Feuchtigkeit entweichen kann. Hierfür schneiden Sie am besten gleich Deckelchen ab, die nach dem Füllen der Teile wieder daraufgesetzt werden. Nach dem Ausdampfen werden Windbeutel oder Eclairs mit Sahne oder Eiscreme gefüllt und sofort serviert, denn frisch schmeckt Brandteiggebäck am besten.

### Brandteig ausbacken

Sie können Brandteig auch in einer Friteuse ausbacken. Hierfür den Teig in einen Spritzbeutel füllen und die gewünschten Formen auf Pergamentpapier spritzen. Das Pergamentpapier mitsamt den Formen ins heiße Fett halten, der Teig gleitet sehr rasch ab. Die Förmchen ausbacken, mit einem Schaumlöffel herausnehmen und auf Küchenkrepp abtropfen lassen.

# Napf-, Blech-kuchen & Co.

Erinnern Sie sich noch an den feinen Gugelhupf oder an die saftigen Blechkuchen Ihrer Großmutter? Diese altbewährten Köstlichkeiten haben in jedem Fall eine Neuauflage verdient. Denn sie rufen nicht nur angenehme Kindheitserinnerungen wach. Ob sie nun zum sonntäglichen Nachmittagskaffee kredenzt oder beim sommerlichen Picknick mitgenommen werden; die alten Klassiker schmecken nicht nur hervorragend, sie verbreiten auch eine behagliche Atmosphäre.

# Napfkuchen

**Zubereitungszeit**
*ca. 20 Min.*
**Backzeit**
*ca. 55 Min.*

| |
|---|
| *250 g zimmerwarme Butter* |
| *250 g Zucker* |
| *1 Prise Salz* |
| *1 P. Vanillezucker* |
| *1 TL abgeriebene Schale* |
| *einer unbehandelten Zitrone* |
| *4 Eier* |
| *500 g Mehl* |
| *1 P. Backpulver* |
| *¹/₈ l Mineralwasser oder Milch* |
| *Butter und Semmelbrösel für die Form* |

**So wird's gemacht**

1. Den Backofen auf 180 °C vorheizen. Die Butter stückchenweise in eine Rührschüssel geben und dann mit dem Handrührgerät schaumig rühren. Den Zucker einrieseln lassen, Salz, Vanillezucker und Zitronenschalenabrieb hinzufügen.
2. Die Eier einzeln unterrühren. Das Mehl mit dem Backpulver vermischen und durchsieben. Unter ständigem Rühren das Mehl löffelweise zur Butter-Ei-Mischung geben. Dabei das Mineralwasser oder die Milch nach und nach hinzufügen.
3. Sobald das Mehl vollständig eingearbeitet ist, den Teig nochmals kräftig durchrühren. Er sollte schwer reißend vom Löffel fallen. Eine Napfkuchenform dünn mit Butter ausstreichen und mit Semmelbröseln ausstreuen.
4. Die Masse in die Form füllen, glattstreichen und das Ganze auf der untersten Einschubleiste im Backofen etwa 55 Minuten backen. Nach 50 Minuten Backzeit eine Stäbchenprobe machen. Den Kuchen aus der Form stürzen und erkalten lassen.

## Tip

Anstelle der Zitronenschale können Sie auch einen Beutel Citro-back (z.B. von Schwartau) verwenden.

## Variation

Nach Belieben können Sie den Teig mit 2 Eßlöffeln braunem Rum aromatisieren. Den Rum ganz zum Schluß unter den Teig mischen. Hübsch sieht es aus, wenn Sie den Napfkuchen nach dem Abkühlen dick mit Puderzucker bestäuben.

# Marmorkuchen

**Zubereitungszeit**
*ca. 20 Min.*
**Backzeit**
*ca. 70 Min.*

*250 g Butter oder Margarine*
*(z.B. von Sanella)*
*275 g Zucker*
*1 P. Vanillezucker*
*1 Prise Salz*
*4 Eier*
*500 g Mehl*
*1 P. Backpulver*
*200 ml Milch*
*2 EL brauner Rum*
*Butter und Semmelbrösel für die Form*
*3 EL Kakaopulver*
*3 EL gehackte Mandeln*
*Puderzucker zum Bestäuben*

## So wird's gemacht

1. Den Backofen auf 175 °C vorheizen. Die Butter oder Margarine zusammen mit Zucker, Vanillezucker und Salz schaumig rühren. Die Eier einzeln unterrühren.

2. Das Mehl mit dem Backpulver mischen und durchsieben. Unter ständigem Rühren das Mehl löffelweise zur Butter-Ei-Mischung geben. Dabei zwei Drittel der Milch nach und nach hinzufügen. Den Rum untermischen. Eine Napfkuchenform dünn mit Butter ausstreichen und mit Semmelbröseln ausstreuen. Zwei Drittel der Teigmasse in die Form füllen und glattstreichen.

3. Unter den übrigen Teig restliche Milch, Kakaopulver und Mandeln rühren. Den dunklen Teig auf dem hellen verteilen. Eine Gabel spiralförmig durch beide Teigschichten ziehen. Den Kuchen auf der untersten Einschubleiste des Ofens etwa 70 Minuten backen. Nach dem Auskühlen mit Puderzucker bestäuben.

# Grüner Marmorkuchen

**Zubereitungszeit**
*ca. 20 Min.*
**Backzeit**
*ca. 1 Std.*

*250 g Butter*

*200 g Zucker*

*1 P. Vanillezucker*

*4 Eier*

*1 Btl. Citro-back (z.B. von Schwartau)*

*1 Prise Salz*

*400 g Mehl*

*1 P. Backpulver*

*1/8 l Milch*

*100 g gehackte Pistazien*

*Butter und Semmelbrösel für die Form*

*Puderzucker zum Bestäuben*

**So wird's gemacht**

1. Den Backofen auf 180 °C vorheizen. Die Butter in einer Schüssel mit dem Handrührgerät schaumig rühren. Nach und nach Zucker, Vanillezucker, Eier, Citro-back und Salz hinzufügen.
2. Das Mehl mit dem Backpulver mischen und durchsieben. Unter ständigem Rühren das Mehl löffelweise zur Butter-Ei-Mischung geben. Dabei die Milch ebenfalls löffelweise hinzufügen.
3. Den Teig halbieren. Die Pistazien portionsweise zwischen 2 Bögen Pergamentpapier legen und mit dem Rollholz zermahlen. Die Pistazien unter eine Teighälfte mischen.
4. Eine Napfkuchenform mit Butter ausstreichen und mit Semmelbröseln ausstreuen. Die Hälfte des hellen Teiges in die Form füllen, den grünen Teig darüber verteilen.
5. Dann restlichen hellen Teig in die Form geben. Eine Gabel spiralförmig durch die Teigschichten ziehen.
6. Den Kuchen auf der untersten Einschubleiste des Ofens etwa 1 Stunde backen. Aus der Form stürzen und nach dem Auskühlen dick mit Puderzucker bestäuben.

## Tip

Sie können die Pistazien auch im Mörser zerstoßen, allerdings werden sie dann nicht so feinkörnig wie bei der im Rezept beschriebenen Prozedur.

# Hefegugelhupf mit Quittenmus und Mohn

**Zubereitungszeit**
*ca. 45 Min.*
**Zeit zum Gehen**
*ca. 45 Min.*
**Backzeit**
*ca. 1 Std.*

**Für den Teig:**
*500 g Mehl*
*42 g Hefe (1 Würfel)*
*1/4 l lauwarme Milch*
*160 g Zucker, 1 Prise Salz*
*100 g Butter, 2 Eigelb*
*1/2 Btl. Citro-back*
*(z.B. von Schwartau)*
*Fett und Semmelbrösel für die Form*
**Für die Füllung:**
*125 g Magerquark*

*70 g Crème double*
*1 P. Vanillezucker*
*300 g frische Quitten*
*etwas Zitronensaft*
*1 Btl. Mohn-back*
*(z.B. von Schwartau)*
*Puderzucker zum Bestäuben*

**So wird's gemacht**

1. Mehl in eine Schüssel sieben. Hefe zerbröckeln, hinzufügen und mit Milch sowie 100 g Zucker vermischen. Salz, Butter, Eigelbe und Citro-back unter den Teig kneten, bis er sich vom Schüsselrand löst. Zugedeckt an einem warmen Ort 30 Minuten gehen lassen.
2. Inzwischen für die Füllung Quark, Crème double, 1 Eßlöffel Zucker und Vanillezucker verrühren. Die Quitten schälen, kleinschneiden und in wenig Wasser weichkochen. Pürieren und mit restlichem Zucker und Zitronensaft abschmecken.

3. Den Backofen auf 175 °C vorheizen. Den Hefeteig in 12 gleich große Teile schneiden und diese auf einer bemehlten Arbeitsfläche zu dünnen Platten ausrollen. 8 Platten mit Quarkmasse bestreichen und dann mit Mohn bestreuen. 4 Platten mit Quittenmus bestreichen. Alle Platten fein aufrollen.
4. Eine Napfkuchenform mit Butter ausstreichen und mit Semmelbröseln ausstreuen. Abwechselnd eine Schicht Mohn- und Quittenrollen in die Form legen, mit Mohnrollen abschließen.
5. Den Gugelhupf nochmals 15 Minuten gehen lassen und dann etwa 1 Stunde im Ofen backen. Aus der Form stürzen und mit Puderzucker bestäuben.

# Quarkgugelhupf mit Zwetschgenkompott

**Zubereitungszeit**
*ca. 30 Min.*
**Backzeit**
*ca. 1 Std.*

**Für den Teig:**

| |
|---|
| *100 g Butter, 175 g Zucker* |
| *abgeriebene Schale einer* |
| *unbehandelten Zitrone* |
| *1 Prise Ingwerpulver* |
| *4 Eier, 250 g Magerquark* |
| *100 g Speisestärke* |
| *(z.B. von Mondamin)* |
| *200 g Mehl* |
| *1 P. Backpulver* |
| *2 EL Zitronensaft* |
| *Fett und Semmelbrösel für die Form* |
| *Puderzucker zum Bestäuben* |

**Für das Kompott:**

| |
|---|
| *500 g Zwetschgen* |
| *1/8 l Roséwein* |
| *75 g Zucker* |
| *1/4 Zimtstange* |
| *1 Nelke* |
| *1 EL Speisestärke* |

**So wird's gemacht**

1. Den Backofen auf 180 °C vorheizen. Butter, Zucker, Zitronenschalenabrieb, Ingwer und Eier mit dem Handrührgerät auf der höchsten Schaltstufe gut verrühren. Dann den Quark untermengen.
2. Speisestärke, Mehl und Backpulver vermischen und durchsieben. Unter ständigem Rühren das Mehl löffelweise zur Butter-Quark-Mischung geben. Den Zitronensaft einrühren.
3. Eine Napfkuchenform ausfetten und mit Semmelbröseln ausstreuen. Den Teig in die Form füllen, glattstreichen und auf der untersten Ein

schubleiste etwa 1 Stunde backen. Dann aus der Form stürzen, abkühlen lassen und mit Puderzucker bestäuben.
4. Während der Kuchen bäckt für das Kompott die Zwetschgen waschen, halbieren, entsteinen und vierteln.
5. Den Roséwein zusammen mit 3 Eßlöffeln Wasser, Zucker, Zimt und Nelke erhitzen. Die Zwetschgen hinzufügen und bei mittlerer Hitze weich dünsten.
6. Zimtstange herausnehmen. Das Kompott mit Speisestärke binden und zusammen mit dem Quarkgugelhupf servieren.

# Rumtopftörtchen

*Für etwa 12 Stück*
**Zubereitungszeit**
*ca. 20 Min.*
**Backzeit**
*ca. 20 Min.*

### Für den Teig:

| |
|---|
| 60 g zimmerwarme Butter |
| 50 g Zucker |
| 1/2 P. Vanillezucker |
| 1 Ei |
| 5 EL Speisestärke |
| (z.B. von Mondamin) |
| 3 EL Mehl |
| 1/4 TL Backpulver |
| 80 g abgetropfte Rumtopffrüchte |
| (Fertigprodukt) |

**Außerdem:**

| |
|---|
| Fett für die Förmchen |
| Aprikosenkonfitüre zum Bestreichen |

### So wird's gemacht

1. Den Backofen auf 175 °C vorheizen. Die Butter in einer Schüssel zusammen mit Zucker, Vanillezucker und Ei schaumig rühren. Mondamin mit Mehl und Backpulver vermischen und in die Schüssel sieben.

2. Das Ganze mit dem Handrührgerät auf höchster Schaltstufe verrühren. Die Rumtopffrüchte abtropfen lassen, kleinschneiden und unter den Teig mischen. 12 Tortelettförmchen (8 cm Ø) ausfetten. In jedes Förmchen etwa 1 Eßlöffel Teig geben.

3. Die Törtchen in den Ofen geben und etwa 20 Minuten backen. Danach vorsichtig stürzen. Die Aprikosenkonfitüre glattrühren und die Törtchen damit bestreichen.

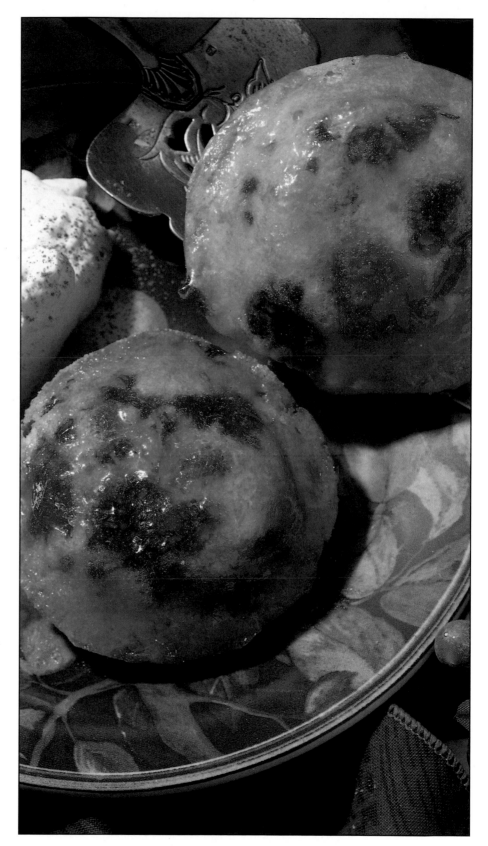

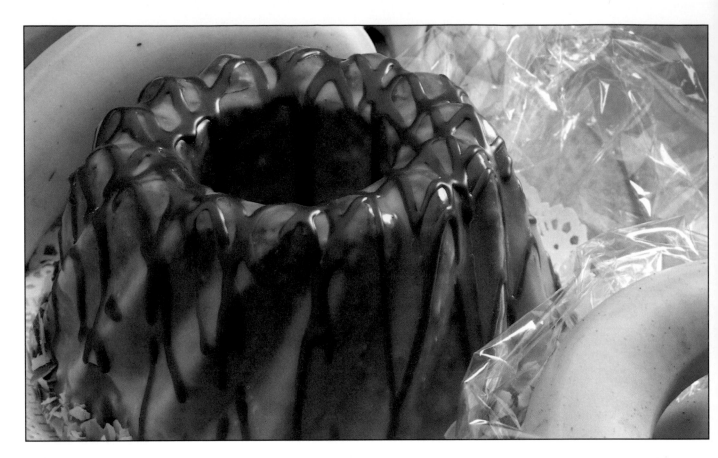

# Bananenhupf

**Zubereitungszeit**
*ca. 25 Min.*
**Backzeit**
*ca. 50 Min.*

*3 mittelgroße, reife Bananen*
*240 g brauner Rohrzucker*
*75 g saure Sahne*
*1 Prise Salz*
*abgeriebene Schale einer*
*unbehandelten Zitrone*
*80 g zimmerwarme Butter*
*ausgekratztes Mark von*
*1/2 Vanilleschote*
*3 Eier*
*125 g Roggenmehl (Type 997)*
*140 g Weizemehl (Type 550)*
*1 P. Backpulver*
*Butter für die Form*
*4 EL Kokosraspel*

**So wird's gemacht**

1. Den Backofen auf 170 °C vorheizen. Die Bananen schälen, kleinschneiden und zusammen mit der Hälfte des Zuckers, saurer Sahne, Salz und Zitronenschalenabrieb pürieren.
2. Butter, restlichen Zucker, Vanilleschotenmark und Eier mit dem Handrührgerät schaumig schlagen. Das Bananenpüree unterrühren. Roggen- und Weizenmehl mit Backpulver vermischen und durchsieben. Das Mehl unter ständigem Rühren zur Bananenmasse geben.
3. Eine Napfkuchenform mit Butter ausstreichen und mit Kokosraspeln ausstreuen. Den Teig in die Form füllen und glattstreichen. Das Ganze in den Ofen geben und etwa 50 Minuten backen. Den Bananenhupf aus der Form stürzen und auf einem Kuchengitter auskühlen lassen.

**Tip**

Servieren Sie den Bananenhupf mit einem Guß aus Zitronensaft und Puderzucker. Hierfür 150 g Puderzucker mit 3 Eßlöffeln Zitronensaft glattrühren und den noch heißen Bananenhupf mit der Glasur bestreichen. Nach Belieben den Kuchen zusätzlich mit 50 g im Wasserbad aufgelöster Kuvertüre überziehen.

# Mokkaigel

**Zubereitungszeit**
*ca. 35 Min.*
**Backzeit**
*ca. 12 Min.*

**Für den Teig:**

*3 Eigelb*

*60 g Zucker*

*3 Eiweiß*

*1 Prise Salz*

*90 g Mehl*

*Zucker für das Tuch*

**Für die Creme:**

*240 g Sahne*

*ausgekratztes Mark einer
Vanilleschote*

*200 g Zartbitterschokolade*

*1/2 TL Instantkaffeepulver*

*100 g USA-Sonnenblumenkerne*

*2 kleine Schokoladentaler*

**So wird's gemacht**

1. Den Backofen auf 200 °C vorheizen.
   Die Eigelbe zusammen mit 3 Eßlöffeln Wasser und Zucker schaumig
   schlagen. Die Eiweiße zusammen
   mit dem Salz steif schlagen. Den
   Eischnee auf die Eigelbcreme geben,
   das Mehl darübersieben und beides
   locker unterheben.

2. Ein Blech mit Backpapier belegen.
   Die Teigmasse etwa 1 cm dick darauf verstreichen und etwa 12 Minuten im Ofen backen. Ein Küchentuch mit Zucker bestreuen und den
   gebackenen Teig daraufstürzen. Das
   Backpapier mit Wasser anfeuchten
   und abziehen.

3. Aus der Teigplatte 4 Igelformen ausschneiden, vorne spitz, hinten rund.
   Die größte Form 20 cm lang und
   12 cm breit, die übrigen jeweils
   1 cm kleiner. Die Biskuitreste im
   warmen Ofen trocknen und mit
   den Fingern fein zerbröseln.

4. Die Sahne zusammen mit dem
   Vanilleschotenmark aufkochen
   lassen. Die Schokolade zerkleinern,
   dazugeben und in der Milch auflösen. Den Instantkaffee und die
   Biskuitbrösel einrühren.

5. Den größten Igelboden mit der Creme bestreichen und mit Sonnenblumenkernen bestreuen. Fortlaufend
   die nächstkleineren Platten auflegen
   und mit Creme bestreichen.

6. Den Igel gleichmäßig mit Creme be-
   streichen und mit den restlichen
   Sonnenblumenkernen spicken. Aus
   Kernen und Schokoladentalern Au-
   gen und Nase aufsetzen und den
   Igel vor dem Servieren kühl stellen.

# Schwarz-Weiß-Schnitten mit Kirschen

**Zubereitungszeit**
*ca. 25 Min.*
**Backzeit**
*ca. 40 Min.*

*250 g Butter, 200 g Zucker*
*1 Prise Salz, 5 Eier*
*100 g gemahlene Mandeln*
*275 g Mehl*
*1 EL Backpulver, 2 EL Kirschwasser*
*Fett für das Blech*
*3 EL Kakaopulver, 1 EL Milch*
*700 g Sauerkirschen ohne Stein*
*(aus dem Glas)*
*Für die Glasur:*
*1 P. Kuchenglasur*
*(z.B. von Schwartau)*
*2 EL Milch, 100 g gehackte Pistazien*

**So wird's gemacht**

1. Den Backofen auf 180 °C vorheizen. Die Butter mit dem Handrührgerät schaumig rühren. Nach und nach unter Rühren den Zucker einrieseln lassen, bis eine cremige Masse entsteht. Das Salz hinzufügen. Die Eier einzeln unterrühren und dann die Mandeln hinzufügen.

2. Das Mehl mit dem Backpulver vermischen und durchsieben. Unter ständigem Rühren löffelweise zur übrigen Teigmasse geben. Zum Schluß das Kirschwasser daruntermischen.

3. Ein Backblech einfetten und zwei Drittel des Teiges darauf verteilen. Den restlichen Teig mit dem Kakaopulver und der Milch verrühren. Den dunklen Teig auf dem hellen verteilen. Die Kirschen abtropfen lassen und auf den dunklen Teig geben. Das Ganze in den Ofen geben und etwa 40 Minuten backen.

4. Für den Guß die Glasur im Wasserbad auflösen und die Milch einrühren. Den abgekühlten Kuchen mit Glasur überziehen, mit Pistazien bestreuen und in gleich große Schnitten teilen.

## Tip

Servieren Sie die Schwarz-Weiß-Schnitten zusammen mit frischer, geschlagener Sahne.

# Pflaumen-Mohn-Kuchen

**Zubereitungszeit**
*ca. 20 Min.*
**Zeit zum Gehen**
*ca. 40 Min.*
**Backzeit**
*ca. 40 Min.*

### Für den Teig:

| |
| --- |
| 500 g Mehl (z.B. von Aurora) |
| 42 g Hefe (1 Würfel) |
| 1/4 l lauwarme Milch |
| 5 EL Butter |
| 5 EL Zucker, 1 Prise Salz |
| 1 Ei |

### Für den Belag:

| |
| --- |
| 2 Eier, 250 g Magerquark |
| abgeriebene Schale einer |
| unbehandelten Zitrone |
| 75 g Zucker |
| 1 P. Vanillezucker |
| 2 1/2 EL Speisestärke |
| 1 P. Mohn-back |
| 750 g Pflaumen |
| Fett für das Blech |

### So wird's gemacht

**1.** Aus den angegebenen Zutaten einen Hefeteig nach Rezeptanweisung auf Seite 23 zubereiten und diesen etwa 30 Minuten gehen lassen.

**2.** Für den Belag die Eier trennen, Quark mit Eigelben, Zitronenschalenabrieb, Zucker, Vanillezucker und Speisestärke verrühren. Die Eiweiße steif schlagen und unterheben. Mohn-back nach Anweisung zubereiten. Pflaumen waschen, halbieren und entsteinen.

**3.** Den Backofen auf 200 °C vorheizen. Ein Blech einfetten und den Hefeteig darauf auslegen, dabei einen Rand formen. Nochmals kurz gehen lassen. Quark, Mohn und Pflaumen abwechselnd in Reihen diagonal auf dem Teig verteilen. Das Blech in den Ofen geben und den Kuchen etwa 40 Minuten backen.

# Dresdner Eierschecke

*Für etwa 20 Stück*
**Zubereitungszeit**
*ca. 1 Std.*
**Zeit zum Gehen**
*ca. 1 Std. 10 Min.*
**Backzeit**
*ca. 50 Min.*

**Für den Hefeteig:**
*125 g Mehl*
*10 g Hefe (1/3 Würfel)*
*2 EL Zucker*
*2 EL Butterschmalz*
*1 Prise Salz*
**Für die Scheckenmasse:**
*1/2 P. Vanillepuddingpulver*
*7 EL Zucker*
*1/4 l Milch*
*100 g Butterschmalz*
*je 2 g Zitronen- und Vanillearoma*
*3 Eigelb*
*4 Eiweiß*
*2 1/2 EL Mehl*
*1 Prise Salz*
**Für die Quarkmasse:**
*300 g Quark (20 % Fett)*
*3 EL Mehl*
*1 Ei*
**Außerdem:**
*Fett für das Blech*
*5 EL Korinthen*

## So wird's gemacht

1. Für den Teig das Mehl in eine Schüssel sieben und eine Mulde hineindrücken. Die Hefe zusammen mit etwas Zucker und 8 Eßlöffeln lauwarmem Wasser anrühren, in die Mulde gießen und mit Mehl bestäuben. Den Vorteig etwa 10 Minuten gehen lassen. Dann die restlichen Teigzutaten hinzufügen und alles gut verkneten. Zugedeckt an einem warmen Ort etwa 1 Stunde gehen lassen.
2. Während der Teig geht, die Scheckenmasse zubereiten. Hierfür das Puddingpulver mit 2 Eßlöffeln Zucker und 6 Eßlöffeln Milch verrühren. Die restliche Milch in einem Topf zum Kochen bringen. Den Topf vom Herd nehmen, das angerührte Puddingpulver hineingeben und unter ständigem Rühren nochmals aufkochen lassen. Den Pudding abkühlen lassen.
3. Den Pudding glattrühren, Butterschmalz und Aromen hinzufügen und weiterrühren, bis eine homogene Creme entsteht. Die Eigelbe schnell unterrühren. Eiweiße zusammen mit restlichem Zucker und Salz zu Schnee schlagen. Die Puddingmasse und das Mehl unter den Eischnee ziehen.
4. Den Backofen auf 200 °C vorheizen. Ein Backblech einfetten. Den Hefeteig auf einer bemehlten Arbeitsfläche ausrollen, auf das Blech legen und andrücken. Für die Quarkmasse Quark, Mehl und Ei verrühren. Die Quarkmasse auf dem Hefeteig verstreichen und mit Korinthen bestreuen. Die Pudding- auf der Quarkmasse verteilen. Das Ganze in den Ofen geben und etwa 50 Minuten backen. Den fertigen Kuchen mit einem langen Messer in etwa 20 Stücke teilen.

*(auf dem Foto oben)*

# Aprikosen-Käse-Kuchen

**Zubereitungszeit**
*ca. 40 Min.*
**Backzeit**
*ca. 55 Min.*

**Für den Teig:**
*175 g zimmerwarme Butter*
*1 P. Vanillezucker*
*150 g Zucker, 3 Eier*
*75 g Speisestärke (z.B. von Mondamin)*
*200 g Mehl*
*1 TL Backpulver*
*1 Prise Salz*
*2 EL Milch*
**Für den Belag:**
*150 g zimmerwarme Butter*
*100 g Zucker*
*1 P. Vanillezucker, 2 Eier*
*750 g Magerquark*
*100 g Speisestärke*
*1 TL Backpulver*
*1 kg vollreife Aprikosen*
*5 EL Pistazienkerne*
**Zum Bestreichen:**
*3 EL Aprikosenkonfitüre*
**Außerdem:**
*Fett für das Blech*

## So wird's gemacht

1. Den Backofen auf 175 °C vorheizen. Für den Teig die Butter stückchenweise in eine Schüssel geben. Vanillezucker, Zucker, Eier, Speisestärke, Mehl, Backpulver, Salz und Milch hinzufügen. Das Ganze mit dem Handrührgerät auf höchster Schaltstufe etwa 2 Minuten durchrühren. Ein Backblech gut einfetten. Den Teig daraufstreichen und im Ofen 10 bis 15 Minuten vorbacken. Danach abkühlen lassen.
2. Den Backofen bei 175 °C eingeschaltet lassen. Für den Belag Butter, Zucker, Vanillezucker, Eier, Quark, Speisestärke und Backpulver in eine Schüssel geben. Mit dem Handrührgerät auf höchster Schaltstufe etwa 2 Minuten durchrühren. Die Quarkmasse auf den vorgebackenen Kuchen streichen.
3. Die Aprikosen waschen, halbieren und entsteinen. Die Fruchthälften mit der Schnittfläche nach oben auf die Quarkmasse legen. Die Pistazienkerne auf die Aprikosen streuen. Den Kuchen in den Ofen geben und 40 bis 45 Minuten backen. Die Aprikosenkonfitüre mit 1 Eßlöffel Wasser glattrühren und den noch warmen Kuchen damit bestreichen.

*(auf dem Foto unten)*

# Schlesischer Mohnkuchen

**Zubereitungszeit**
*ca. 30 Min.*
**Zeit zum Gehen**
*ca. 1 Std. 25 Min.*
**Backzeit**
*ca. 25 Min.*

**Für den Teig:**

| |
|---|
| *500 g Mehl* |
| *42 g Hefe (1 Würfel)* |
| *6 EL Zucker* |
| *1/4 l lauwarme Milch* |
| *75 g Butter* |
| *1/2 TL Salz, 2 Eier* |

**Für den Belag:**

| |
|---|
| *3/4 l Milch* |
| *75 g Butter* |
| *150 g feiner Grieß* |
| *2 Eier* |
| *125 g Zucker* |

| |
|---|
| *250 g gemahlener Mohn* |
| *75 g geschälte, gehackte Mandeln* |
| *abgeriebene Schale einer unbehandelten Zitrone* |

**Für die Streusel:**

| |
|---|
| *100 g zimmerwarme Butter* |
| *6 EL Zucker, 175 g Mehl* |
| *1 Msp. Salz* |
| *Zimtpulver* |

**Außerdem:**

| |
|---|
| *Fett für das Blech* |

**So wird's gemacht**

1. Für den Teig das Mehl in eine Schüssel sieben und eine Mulde hineindrücken. Die Hefe zusammen mit etwas Zucker und der Milch anrühren, in die Mulde gießen und mit Mehl bestäuben. Den Vorteig etwa 10 Minuten gehen lassen. Dann die restlichen Teigzutaten hinzufügen und alles gut verkneten. Zugedeckt an einem warmen Ort etwa 1 Stunde gehen lassen.

2. Ein Backblech einfetten. Den Teig fingerdick ausrollen und auf das Blech geben.

3. Für den Belag Milch zusammen mit Butter aufkochen lassen, Grieß einrühren und bei geringer Hitze 10 Minuten köcheln lassen. Eier, Zucker, Mohn, Mandeln und Zitronenschalenabrieb hinzufügen. Die Grieß-Mohn-Mischung auf den Teig streichen und das Ganze nochmals 15 Minuten gehen lassen.

4. Den Backofen auf 200 °C vorheizen. Für die Streusel Butter, Zucker, Mehl, Salz und Zimt in einer Schüssel kneten, bis sich Streusel bilden. Diese mit den Händen zu Bröseln zerreiben und auf dem Kuchen verteilen. Alles etwa 25 Minuten im Ofen backen.

# Kleckselkuchen

**Zubereitungszeit**
*ca. 40 Min.*
**Zeit zum Gehen**
*ca. 50 Min.*
**Backzeit**
*ca. 35 Min.*

**Für den Teig:**

400 g Mehl, 30 g Hefe

8 EL Zucker

1/4 l lauwarme Milch

100 g Butter

**Für die Streusel:**

100 g Butter

100 g Zucker

100 g Mehl

**Außerdem:**

250 g Schichtkäse

2 Eier, 5 EL Zucker

75 g saure Sahne

300 g feste Zwetschgenmarmelade

3 EL Rotwein

Fett für das Blech

**So wird's gemacht**

1. Mehl in eine Schüssel sieben und eine Mulde hineindrücken. Hefe zusammen mit etwas Zucker und der Milch anrühren, in die Mulde gießen und mit Mehl bestäuben. Den Vorteig etwa 20 Minuten gehen lassen. Restliche Teigzutaten hinzufügen und alles gut verkneten. Zugedeckt an einem warmen Ort 30 Minuten gehen lassen.

2. Backofen auf 190 °C vorheizen. Ein Backblech einfetten. Den Teig 1 cm dick ausrollen, auf das Blech geben und mit einer Gabel mehrfach einstechen. Aus Butter, Zucker und Mehl mit kühlen Händen Streusel formen.

3. Schichtkäse mit Eiern, Zucker und saurer Sahne glattrühren. Zwetschgenmarmelade mit Rotwein glattrühren. Auf den Teig abwechselnd Streusel, Schichtkäsemasse und Zwetschgenmarmelade setzen. Im Ofen etwa 35 Minuten backen.

# Mandel-Honig-Kuchen

**Zubereitungszeit**
*ca. 40 Min.*
**Zeit zum Ruhen**
*ca. 30 Min.*
**Backzeit**
*ca. 1 Std.*

**Für den Teig:**
*200 g Mehl*
*100 g zerlassene Butter*
*1 Prise Salz*
*3 EL Akazienhonig*
*6 EL Johannisbeergelee*
**Für die Füllung:**
*4 Eigelb, 3 EL Akazienhonig*
*100 g Zucker*
*1 EL Speisestärke*
*2 cl Amaretto (Mandellikör)*
*300 g gemahlene Mandeln*
*4 Eiweiß*

**Außerdem:**
*Butter für die Form*
*1 kandierte Kirsche*
*80 g geschälte Mandeln*

**So wird's gemacht**
1. Das Mehl auf eine Arbeitsfläche sieben und eine Mulde hineindrücken. Flüssige Butter, Salz, Honig sowie 3 Eßlöffel Wasser in die Mulde geben. Die Teigzutaten mit beiden Händen zu einer geschmeidigen Masse verkneten. In Alufolie wickeln und etwa 30 Minuten im Kühlschrank ruhen lassen.
2. Den Backofen auf 200 °C vorheizen. Eine Springform (26 cm Ø) ausfetten. Den Teig auf einer bemehlten Arbeitsfläche ausrollen und in die Form geben, dabei an den Seiten etwas hochziehen. Den oberen Rand mit einem Holzlöffel dicht nebeneinander wellenartig eindrücken.

3. Den Boden mit einer Gabel mehrmals einstechen. Das Gelee glattrühren und den Boden damit bestreichen.
4. Für die Füllung Eigelbe, Honig, Zucker, Speisestärke, Amaretto und Mandeln mit dem Handrührgerät gut durchrühren. Die Eiweiße sehr steif schlagen und vorsichtig unterziehen. Die Masse auf den Teigboden geben und glattstreichen.
5. Die Kirsche in die Kuchenmitte geben und die Mandeln strahlenförmig um diese anordnen, so daß eine Blume entsteht. In der Mitte noch einen Mandelkranz legen. Den Kuchen im Ofen etwa 1 Stunde backen. 15 Minuten vor Ende der Backzeit den Kuchen mit Pergamentpapier abdecken.

# Linzertorte

**Zubereitungszeit**
*ca. 40 Min.*
**Zeit zum Ruhen**
*ca. 1 Std.*
**Backzeit**
*ca. 1 Std. 10 Min.*

*360 g ungeschälte,*
*geriebene Mandeln*
*420 g Mehl, 350 g Butter*
*240 g Puderzucker*
*3 Eigelb, 1 Msp. Zimtpulver*
*ausgekratztes Mark einer*
*Vanilleschote*
*abgeriebene Schale einer*
*unbehandelten Zitrone*
**Außerdem:**
*1 runde, große  Backoblate*
*(ca. 26 cm Ø)*
*1 Eigelb , 1 EL Milch*
*200 g Johannisbeergelee*
*(z.B. von SOLO)*

**So wird's gemacht**

1. Die geriebenen Mandeln auf eine Arbeitsfläche schütten und das Mehl darübersieben. Eine Mulde in die Mischung drücken. Die Butter stückchenweise, Puderzucker, Eigelbe, Gewürze und Zitronenschalenabrieb in die Mulde geben.

2. Die Teigzutaten mit beiden Händen rasch zu einer geschmeidigen Masse verarbeiten. Den Teig in zwei Hälften teilen, jeweils in Alufolie wickeln und etwa 1 Stunde im Kühlschrank ruhen lassen.

3. Eine Teighälfte auf einer mit Mehl bestäubten Arbeitsfläche etwa 1 cm dick ausrollen. Ein Backblech mit Backpapier belegen, die Teigplatte darauflegen und einen Tortenring von 26 cm Ø daraufdrücken. Teigreste entfernen und für die Stränge mitverwenden.

4. Den Backofen auf 200 °C vorheizen. Die Oblate eventuell zurechtschneiden und auf die Teigplatte legen, dabei ringsum einen etwa 1 cm breiten Teigrand freilassen. Eigelb mit Milch glattrühren und den freien Teigrand damit bestreichen, nicht jedoch den Tortenring, da die Torte sonst festklebt. Einen langen, etwa fingerdicken Teigstrang rollen und als Tortenrand auf den Teigboden geben. An Boden und Tortenring leicht festdrücken.

5. Johannisbeergelee mit einem Schneebesen glattrühren und auf der Oblate gleichmäßig verstreichen. Aus dem restlichen Teig Stränge rollen, in der Länge zurechtschneiden und als Gitter auf das Gelee legen. Teigstränge und Tortenrand mit restlichem Eigelb bestreichen. Die Torte im Ofen bei 200 °C 10 Minuten backen, dann auf 160 °C zurückschalten und die Torte in etwa 1 Stunde fertigbacken.

# Bienenstich mit Aprikosencreme

**Zubereitungszeit**
*ca. 1 Std.*
**Zeit zum Ruhen**
*ca. 50 Min.*
**Backzeit**
*ca. 15 Min.*

### Für den Teig:
*400 g Mehl*
*25 g Hefe*
*1/8 l lauwarme Milch*
*120 g Butter*
*90 g Zucker*
*1 Prise Salz, 2 Eier*
*Fett für das Blech*
### Für den Belag:
*100 g Butter, 150 g Zucker*
*3 EL Milch*
*1 Btl. Rum-back (z.B. von Schwartau)*
*200 g gehobelte Mandeln*

### Für die Füllung:
*1 P. Vanillepuddingpulver*
*4 EL Zucker, 1/2 l Milch*
*250 g Butter*
*225 g Aprikosenkonfitüre*
*4 EL Orangenlikör*

### So wird's gemacht
1. Aus den Teigzutaten nach Rezeptanweisung auf Seite 23 einen Hefeteig zubereiten und diesen an einem warmen Ort 30 Minuten gehen lassen. Für den Belag Butter zerlassen, Zucker, Milch, Rum-back und Mandeln einrühren und die Masse bis zum Gebrauch kühl stellen.
2. Für die Füllung Vanillepuddingpulver mit Zucker und 6 Eßlöffeln Milch glattrühren. Restliche Milch in einem Topf zum Kochen bringen. Den Topf vom Herd nehmen, das angerührte Puddingpulver hineingeben und unter ständigem Rühren nochmals aufkochen lassen.
3. Abkühlen lassen. Butter etwa 10 Minuten cremig schlagen, bis sie fast weiß ist. Pudding eßlöffelweise in die Butter rühren. Beide Zutaten müssen die gleiche Temperatur haben, sonst gerinnt die Butter.
4. Ein Backblech fetten. Den Backofen auf 200 °C vorheizen. Hefeteig nochmals durchkneten, ausrollen und auf das Blech legen. Die Mandelmasse gleichmäßig auf der Oberfläche verteilen und das Ganze nochmals 20 Minuten gehen lassen. Dann im Ofen etwa 15 Minuten backen.
5. Den Kuchen vierteln und jedes Stück waagrecht durchschneiden. Die Konfitüre mit dem Likör glattrühren und die unteren Kuchenböden damit bestreichen. Die Füllung darübergeben und zum Schluß die Kuchendeckel jeweils daraufsetzen.

# Altdeutscher Prasselkuchen

**Zubereitungszeit**
*ca. 45 Min.*
**Backzeit**
*ca. 20 Min.*

**Für den Teig:**

| |
|---|
| *375 g Mehl* |
| *1 Btl. Citro-back* |
| *(z.B. von Schwartau)* |
| *1 Msp. Kardamom* |
| *1 Prise Salz* |
| *90 g zerlassene Butter* |
| *300 g saure Sahne* |

**Außerdem:**

| |
|---|
| *200 g Mehl* |
| *100 g Zucker* |
| *1 P. Vanillezucker* |
| *200 g Butter* |
| *Zucker und Zimtpulver* |

## So wird's gemacht

1. Zwei Drittel des Mehls in einer Schüssel mit Citro-back, Kardamom und Salz vermischen. Flüssige Butter sowie saure Sahne hinzufügen und alles verrühren. Restliches Mehl dazugeben und das Ganze zu einem glänzenden Teig verkneten.
2. Teig zwischen Pergamentpapier dünn ausrollen, vierfach zusammenlegen, nochmals dünn ausrollen und wiederum vierfach zusammenlegen. Nun dünn ausrollen, in Rauten schneiden und auf ein mit Backpapier belegtes Blech legen.
3. Backofen auf 225 °C vorheizen. Aus Mehl, Zucker, Vanillezucker und 150 g Butter Streuseln kneten. Restliche Butter zerlassen, die Teigstücke damit bestreichen und die Streusel darauf verteilen. Alles mit Zucker und Zimt bestreuen und im Ofen etwa 20 Minuten backen.

# Hefe-Streusel-Kuchen

**Zubereitungszeit**
*ca. 30 Min.*
**Zeit zum Gehen**
*ca. 1 Std.*
**Backzeit**
*ca. 25 Min.*

**Für den Teig:**
*500 g Mehl*
*30 g Hefe*
*8 EL Zucker*
*200 ml lauwarme Milch*
*8 EL Pflanzenöl (z.B. Mazola Keimöl)*
**Für den Belag:**
*500 g Süßkirschen*
*500 g Stachelbeeren*
**Für die Streusel:**
*75 g Mehl*
*5 EL Speisestärke*
*75 g Zucker*
*1 Prise Salz*
*1/2 TL Zimtpulver*
*75 g weiche Butter*
*3 EL Kokosraspel*

**So wird's gemacht**
1. Das Mehl in eine Schüssel sieben und eine Mulde hineindrücken. Die Hefe zusammen mit etwas Zucker und der Milch glattrühren, in die Mulde gießen und mit etwas Mehl bestäuben. Den Vorteig etwa 10 Minuten gehen lassen. Die restlichen Teigzutaten hinzufügen und das Ganze so lange verkneten, bis sich der Teig vom Schüsselrand löst. Zugedeckt an einem warmen Ort etwa 50 Minuten gehen lassen.
2. Den Teig nochmals durchkneten und in 12 Stücke teilen. Jedes Teigstück mit bemehlten Händen zu einem Kreis von etwa 10 cm Ø auseinanderdrücken, dabei einen Rand formen. Die Teilchen auf ein mit Backpapier belegtes Blech legen.
3. Den Backofen auf 200 °C vorheizen. Die Kirschen waschen, gut abtropfen lassen und entsteinen. Die Stachelbeeren waschen und trockentupfen. Die Früchte auf den Teigteilchen verteilen.
4. Mehl, Speisestärke, Zucker, Salz, Zimt, Butter und Kokosraspeln in einer Schüssel miteinander verkneten. Die Masse zwischen den Fingern zerreiben, bis sich Streuseln bilden. Die Streusel auf den Teigteilchen verteilen und das Ganze im Ofen etwa 25 Minuten backen.

*(auf dem Foto oben)*

## Tip

Sie können die Hefeteilchen auch mit Früchten aus der Dose oder aus dem Glas, zum Beispiel mit Pfirsichhälften oder Sauerkirschen belegen.

## Variation

Noch feiner schmeckt der Streuselkuchen, wenn Sie auf den Hefeteig eine Vanillecreme streichen. Hierfür 2 Eßlöffel Speisestärke mit 2 Eßlöffeln Milch glattrühren. Knapp 1/4 Liter Milch zusammen mit 1/2 Vanilleschote zum Kochen bringen. Die Speisestärkemischung mit 3 Eigelben verrühren, in die Milch gießen und diese kräftig aufkochen lassen. Die Vanilleschote herausnehmen, die Mischung vom Herd nehmen und etwas abkühlen lassen. Sobald die Masse fest zu werden beginnt, 60 g Marzipanrohmasse in kleinen Stücken mit dem Schneebesen unterrühren. Die Creme gleichmäßig auf den Teigteilchen verstreichen und die Früchte daraufsetzen. Sie können den Hefeteig auch zunächst zu einem Rechteck (zur Backblechgröße passend) ausrollen, mit Creme bestreichen, mit Früchten und Streuseln belegen und erst nach dem Backen in Stücke teilen. Wenn Sie den Teig im Ganzen backen, verlängert sich die Backzeit um gute 10 Minuten.

# Zimt-Apfel-Törtchen

*Für etwa 12 Stück*
**Zubereitungszeit**
*ca. 30 Min.*
**Backzeit**
*ca. 20 Min.*

**Für den Teig:**
*180 g zimmerwarme Butter*
*150 g Zucker, 1 EL Zimtpulver*
*3 Eier, 150 g Speisestärke*
*(z.B. von Mondamin)*
*75 g Mehl*
*1/2 P. Backpulver*
**Für den Belag:**
*6 kleine Äpfel (z.B. Boskoop)*
*etwas Zitronensaft*
*90 g Preiselbeeren (aus dem Glas)*
**Außerdem:**
*Aprikosenkonfitüre zum Bestreichen*
*Fett für die Förmchen*

**So wird's gemacht**
1. Die Butter schaumig rühren, dabei den Zucker einrieseln lassen. Das Zimtpulver hinzufügen und die Eier unterrühren. Die Speisestärke mit dem Mehl und dem Backpulver vermischen. Die Mehlmischung unter ständigem Rühren zur übrigen Teigmasse geben.
2. 12 Tortelettförmchen (10 cm Ø) gut einfetten. Den Backofen auf 175 °C vorheizen. Den Teig auf die Förmchen verteilen. Die Äpfel schälen, vierteln, vom Kerngehäuse befreien und in Spalten schneiden. Die Apfelspalten jeweils kreisförmig auf dem Teig anordnen und mit Zitronensaft beträufeln.
3. Auf jedes Förmchen 2 Teelöffel Preiselbeeren geben. Die Förmchen in den Ofen geben und die Törtchen etwa 20 Minuten backen. Die Aprikosenkonfitüre glattrühren und die Apfelspalten jeweils damit bestreichen.

*(auf dem Foto unten)*

# Bunter Käsekuchen

**Zubereitungszeit**
ca. 30 Min.
**Zeit zum Ruhen**
ca. 1 Std.
**Backzeit**
ca. 1 Std. 15 Min.

**Für den Teig:**
200 g Mehl
100 g Butter
1 Ei
1 Msp. Backpulver
1 EL Zucker
1 Prise Salz
Fett für die Form
**Für die Füllung:**
1 kg Sahnequark (40 % Fett)
200 g Zucker
5 Eier
2 Eigelb
abgeriebene Schale einer
unbehandelten Orange
abgeriebene Schale einer
unbehandelten Zitrone
200 g kandierte Früchte
(z.B. „Frutta Mix" von Schwartau)

**So wird's gemacht**
1. Das Mehl auf eine Arbeitsfläche sieben und eine Mulde hineindrücken. Butter in Stücke schneiden und zusammen mit Ei, Backpulver, Zucker sowie Salz in die Mulde geben.
2. Die Teigzutaten mit beiden Händen rasch zu einer geschmeidigen Masse verkneten. In Alufolie wickeln und etwa 1 Stunde im Kühlschrank ruhen lassen.
3. Den Teig auf einer bemehlten Arbeitsfläche ausrollen. Den Boden einer Springform (26 cm Ø) auf die Teigplatte legen und den Teig in der passenden Größe ausschneiden. Die Springform ausfetten und den Teigboden hineingeben.
4. Den Backofen auf 200 °C vorheizen. Aus dem restlichen Teig einen etwa 4 cm hohen Rand für den Kuchen ausrollen und die Springform damit auslegen. Die Nahstellen zwischen Teigboden und -rand gut andrücken.
5. Für die Füllung den Quark, Zucker, Eier und Eigelbe mit dem Handrührgerät schaumig rühren. Die übrigen Zutaten daruntermischen und die Masse in die Springform füllen.
6. Den Kuchen in den Ofen geben und etwa 15 Minuten bei 200 °C backen. Dann die Hitze auf 160 °C reduzieren und den Kuchen in etwa 1 Stunde fertigbacken. Aus dem Ofen nehmen und 2 Stunden abkühlen lassen, dann aus der Form nehmen.

# Birnenkuchen

**Zubereitungszeit**
*ca. 30 Min.*
**Zeit zum Ruhen**
*ca. 1 Std.*
**Backzeit**
*ca. 30 Min.*

**Für den Teig:**

| |
|---|
| 100 g Zucker |
| 200 g Butter |
| 300 g Mehl |
| 1 Ei |

**Für den Belag:**

| |
|---|
| 1,5 kg Birnen |
| 6 Eier, 100 g Zucker |
| 150 g geriebene Mandeln |
| 5 EL Speisestärke |
| 2 cl Birnengeist |

**Außerdem:**

| |
|---|
| 2 unbehandelte Zitronen |
| 5 EL Zucker |
| Fett für das Blech |

## So wird's gemacht

1. Aus Zucker, Butter, Mehl und Ei einen Mürbeteig kneten und diesen etwa 1 Stunde kühl stellen. Auf einer bemehlten Arbeitsfläche 3 mm dick ausrollen. Ein Blech fetten, den Teig daraufgeben und mit einer Gabel mehrfach einstechen.

2. Backofen auf 180 °C vorheizen. Birnen schälen, achteln, vom Kerngehäuse befreien und auf dem Teig verteilen. Eier und Zucker schaumig schlagen, Mandeln, Speisestärke und Birnengeist unterheben. Die Masse auf die Birnen streichen. Den Kuchen im Ofen etwa 30 Minuten backen.

3. Von den Zitronen die Schalen in dünnen Streifen abschälen. Zucker zusammen mit 3 Eßlöffeln Wasser aufkochen, Zitronenschalen hineingeben und kurz köcheln lassen. Herausnehmen und auf dem noch warmen Kuchen verteilen.

# Obst-kuchen und -torten

Dank zahlreicher Importe aus aller Welt können Sie saisonunabhängig das ganze Jahr über frische Früchte auf dem Markt kaufen. In unseren Breiten wird die Obstsaison im Mai mit vollmundigen Erdbeeren eröffnet, dann folgen Johannisbeeren, Kirschen, Aprikosen, Pflaumen und viele andere köstliche Früchte. Jede Fruchtart inspiriert zu mindestens einer Backidee, und bei der Kombination verschiedener Rezepte sind Ihrer Phantasie keine Grenzen gesetzt.

# Rotwein-Kirsch-Kuchen

**Zubereitungszeit**
*ca. 30 Min.*
**Backzeit**
*ca. 45 Min.*

*150 g zimmerwarme Butter*
*250 g Farinzucker*
*250 g feingeriebenes,*
*altbackenes Graubrot*
*1/8 l herber Rotwein, 5 Eier*
*abgeriebene Schale von*
*1/2 unbehandelten Zitrone*
*1/2 TL Backpulver*
*1 kg Herzkirschen*
*Butter für die Form*
*5 Kirsch- oder Buchenblätter*
*Puderzucker zum Bestäuben*

**So wird's gemacht**
1. Backofen auf 175 °C vorheizen. Butter und Farinzucker schaumig rühren. Das Graubrot mit dem Rotwein tränken. Die Eier trennen, Eigelbe, Zitronenschalenabrieb und Backpulver unter die Butter-Zucker-Mischung rühren.
2. Kirschen waschen, entsteinen und zusammen mit dem Graubrot unter den Teig mischen. Eiweiße steif schlagen und vorsichtig unterziehen. Eine Springform (26 cm Ø) fetten.
3. Den Teig in die Springform füllen, glattstreichen und etwa 45 Minuten im Ofen backen. Den Kuchen in der Form etwa 1 Stunde abkühlen lassen. Dann aus der Form lösen und auf eine Kuchenplatte setzen. 5 Kirsch- oder Buchenblätter in der Kuchenmitte kreisförmig anordnen. Den Kuchen mit Puderzucker bestäuben und die Blätter entfernen.

# Heidelbeerkuchen

**Zubereitungszeit**
*ca. 1 Std. 30 Min.*
**Zeit zum Ruhen**
*ca. 2 Std. 30 Min.*
**Backzeit**
*ca. 25 Min.*

***Für den Teig:***
*80 g Mehl*
*1 Prise Salz*
*80 g kalte Butter*
***Für den Belag:***
*500 g frische Heidelbeeren*
*300 g Sahne*
*100 g saure Sahne*
*4 Eier*
*80 g Zucker*
*Saft von einer Zitrone*
***Zum Bestreuen:***
*100 g Pinienkerne*
*3 EL Zucker*

### So wird's gemacht

1. Mehl auf eine Arbeitsplatte sieben. In die Mitte Salz und 5 Eßlöffel kaltes Wasser geben. Mit beiden Händen Mehl und Wasser vermengen. Den Teig so lange kneten, bis seine Oberfläche glatt und glänzend ist. Mit einem feuchten Tuch bedeckt etwa 15 Minuten kühl stellen.

2. Butter zwischen zwei Bögen Pergamentpapier zu einem Rechteck ausrollen. Teig zu einem doppelt so großen Rechteck ausrollen. Butter auf die eine Hälfte der Teigplatte legen, die andere Hälfte darüberschlagen und die Teigränder zusammendrücken. Den Teig zu einem Rechteck ausrollen und möglichst exakt zu drei Schichten übereinanderklappen. Mit einem feuchten Tuch bedeckt nochmals 20 Minuten kühl stellen. Letzten Vorgang wiederholen und den Teig nochmals 20 Minuten kühl stellen.

3. Den Teig erneut zu einem Rechteck ausrollen und dieses zu vier Schichten übereinanderklappen. 20 Minuten kühl stellen, dann wieder ausrollen und nochmals vierfach schichten. Wieder kühl stellen und dann den Blätterteig 3 mm dick ausrollen. Eine flache Backform (24 cm Ø) damit auslegen, überstehenden Rand abschneiden.

4. Den Backofen auf 200 °C vorheizen. Den Teigboden mit einer Gabel mehrmals einstechen. Heidelbeeren waschen, verlesen und darauf verteilen. Sahne, saure Sahne, Eier, Zucker sowie Zitronensaft gut verrühren und die Mischung über die Heidelbeeren gießen. Im Ofen etwa 15 Minuten backen, bis die Masse stockt. Die Pinienkerne und den Zucker auf den Kuchen streuen und diesen nochmals in etwa 10 Minuten goldbraun backen.

# Friesischer Pflaumenkuchen

**Zubereitungszeit**
ca. 45 Min.
**Zeit zum Ruhen**
ca. 1 Std.
**Backzeit**
ca. 40 Min.

**Für den Teig:**

250 g Magerquark

250 g Vollkornmehl (Type 1700)

250 g Butter

1 Prise Salz

**Für die Creme:**

5 Eigelb, 125 g Zucker

4 EL Mehl

1/2 l Milch

1/2 Vanilleschote

5 EL gehackte Mandeln

(z.B. von Schwartau)

**Für den Belag:**

2 kg Pflaumen

5 EL gehackte Mandeln

5–10 EL Zucker

**So wird's gemacht**

1. Ein Sieb mit einem Küchentuch auslegen, den Quark hineingeben und vorsichtig ausdrücken. Das Mehl auf eine Arbeitsfläche sieben, die Butter in Flöckchen sowie den Quark hinzufügen. Mit kühlen Händen zu einem geschmeidigen Teig kneten und das Salz einarbeiten. Den Teig zu einer Rolle formen, in Alufolie wickeln und 30 Minuten im Kühlschrank ruhen lassen.

2. Den Teig zu einem Rechteck ausrollen und möglichst exakt zu drei Schichten übereinanderklappen. Mit einem feuchten Tuch bedeckt nochmals 15 Minuten kühl stellen. Ein Backblech kalt abspülen und abtrocknen. Den Teig auf dem Blech etwa 3 mm dick ausrollen, überstehenden Teig abschneiden. Nochmals 15 Minuten kühl stellen. Den Backofen auf 225 °C vorheizen.

3. Den Teig im Ofen 10 bis 15 Minuten vorbacken und dann herausnehmen. Den Ofen eingeschaltet lassen. Für die Creme die Eigelbe zusammen mit dem Zucker schaumig schlagen. Das Mehl sieben und unter ständigem Rühren löffelweise dazugeben. Die Milch zusammen mit der Vanilleschote zum Kochen bringen und wieder abkühlen lassen.

4. Die Vanilleschote herausnehmen und die lauwarme Milch unter die Eier-Mehl-Masse rühren. Das Ganze in einem Topf zum Kochen bringen, etwa 2 Minuten köcheln lassen, durch ein Sieb streichen und abkühlen lassen. Dann die Mandeln daruntermischen.

5. Die Creme auf dem vorgebackenen Teig verstreichen. Die Pflaumen waschen, trockenreiben, halbieren, entsteinen und das Fruchtfleisch vierteln. Die Pflaumenviertel gleichmäßig auf der Creme verteilen. Mit etwas Zucker und gehackten Mandeln bestreuen.

6. Den Backofen auf 200 °C zurückschalten und den Kuchen darin etwa 25 Minuten backen. Den fertigen Kuchen je nach Süße der Pflaumen mit Zucker bestreuen und noch warm servieren.

*(auf dem Foto oben)*

# Kirschstrudel

**Zubereitungszeit**
ca. 45 Min.
**Zeit zum Ruhen**
ca. 30 Min.
**Backzeit**
ca. 35 Min.

**Für den Teig:**

200 g Mehl

1 Ei

2 EL Pflanzenöl

1 Prise Salz

**Für die Füllung:**

1,5 kg Süßkirschen

6 EL Butter

75 g feingehackte Mandeln

75 g feingehackte Haselnüsse

150 g Zucker, Zimtpulver

**Außerdem:**

Öl für die Schüssel

Butter für das Blech

100 g Butter zum Bestreichen

**So wird's gemacht**

1. Das Mehl in eine Schüssel sieben und in die Mitte eine Mulde drücken. Ei, Öl und Salz in die Mulde geben. Die Zutaten leicht vermischen und nach und nach 6 Eßlöffel lauwarmes Wasser dazugeben. Den Teig etwa 10 Minuten kneten, bis er glatt und nicht mehr klebrig ist. Zu einer Kugel formen. Eine Schüssel mit Öl ausstreichen, den Teig hineingeben, mit Klarsichtfolie abdecken und bei Zimmertemperatur 30 Minuten ruhen lassen.

2. Ein großes Tuch mit Mehl bestäuben und den Teig darauf lang und rechteckig ausrollen. Vorsichtig mit den Fingerspitzen an den Längsseiten anfassen und in die Länge und Breite ziehen. Dann den Teig über die Handrücken legen und ihn gleichmäßig dünn ausziehen.

3. Den Backofen auf 190 °C vorheizen. Die Kirschen waschen, trockentupfen und entsteinen. Die Butter erhitzen und die Mandeln sowie die Haselnüsse darin anrösten. Die Kirschen auf zwei Drittel des Teiges verteilen und mit Mandeln, Nüssen, Zucker und Zimtpulver bestreuen.

4. 5 Eßlöffel Butter zerlassen und den übrigen Teig damit bestreichen. Das Tuch mit beiden Händen anheben und den Strudel aufrollen. Ein Backblech mit Butter einfetten und den Strudel darauflegen. Die restliche Butter zerlassen, den Strudel damit bestreichen und dann im Ofen etwa 35 Minuten backen.

*(auf dem Foto unten)*

# Mexikanischer Apfelkuchen

**Zubereitungszeit2**
*ca. 45 Min.*
**Backzeit**
*ca. 1 Std.*

**Für die Füllung:**

*500 g mürbe Äpfel (z.B. Boskoop)*
*Saft von 1/2 Zitrone*
*4 EL Butter*
*75 g gehackte Mandeln*
*6 EL Zucker*

**Für den Teig:**

*150 g Butter, 125 g Zucker*
*2 P. Vanillezucker, 3 Eier*
*125 g feine Haferflocken*
*(z.B. Blütenzarte Köllnflocken)*
*5 EL Mehl, 1 TL Backpulver*
*abgeriebene Schale einer*
*unbehandelten Zitrone*
*1 Prise Salz*

**Außerdem:**

*Fett und Semmelbrösel für die Form*

**So wird's gemacht**

1. Die Äpfel schälen, vierteln, vom Kerngehäuse befreien und das Fruchtfleisch in Stücke schneiden. Die Apfelstücke mit dem Zitronensaft vermischen, in einen Topf geben und bei milder Hitze weich dünsten. Die Masse erkalten lassen und dann mit Butter, Mandeln und Zucker vermischen.

2. Den Backofen auf 190 °C vorheizen. Für den Teig die Butter in einer Schüssel zusammen mit dem Zucker schaumig rühren. Den Vanillezucker hinzufügen und die Eier einzeln unterrühren. Die Haferflocken auf die Masse geben. Das Mehl mit dem Backpulver vermischen und direkt in die Schüssel sieben. Zitronenschalenabrieb und Salz dazugeben.

3. Den Teig mit dem Handrührgerät auf höchster Schaltstufe etwa 1 Minute durchrühren. Eine Springform (24 cm Ø) ausfetten und mit Semmelbröseln ausstreuen. Zwei Drittel des Teiges in die Form füllen und glattstreichen.

4. Die Apfelfüllung auf dem Teig verteilen. Den restlichen Teig mit einem Teelöffel häufchenweise auf die Füllung setzen. Den Kuchen in den Ofen geben und 1 Stunde backen. In der Form abkühlen lassen.

## Variation

Nach Belieben können Sie zusätzlich auch etwas Zimtpulver und 3 Eßlöffel Rosinen unter die Apfelfüllung mischen. Anstelle des Vanillezuckers können Sie den Teig mit dem ausgekratzten Mark von einer Vanilleschote aromatisieren.

# Französische Apfeltarte

**Zubereitungszeit**
*ca. 1 Std. 30 Min.*
**Zeit zum Ruhen**
*ca. 30 Min.*
**Backzeit**
*ca. 30 Min.*

**Für den Teig:**

*200 g Mehl (z.B. von Aurora)*
*100 g Butter, 5 EL Zucker*
*1 Ei, 1 Prise Salz*

**Außerdem:**

*1, 2 kg säuerliche Äpfel*
*2 EL Zucker, 1 Msp. Zimtpulver*
*2 cl Calvados, 7 EL grob gehackte*
*Haselnüsse, 200 g Marzipanrohmasse*
*1 Ei, 1 P. Vanillezucker, Fett für die*
*Form, 2 EL Semmelbrösel*
*2 EL Aprikosenmarmelade*

## So wird's gemacht

1. Aus Teigzutaten einen Mürbeteig nach Rezeptanweisung auf Seite 19 zubereiten, in Folie wickeln und 30 Minuten kühl stellen. Äpfel schälen, vierteln, vom Kerngehäuse befreien und kleinschneiden. Zusammen mit Zucker, Zimt, Calvados sowie Haselnüssen in einem Topf weich dünsten.

2. Den Backofen auf 200 °C vorheizen. Marzipanrohmasse mit Ei und Vanillezucker verkneten und die Masse in einen Spritzbeutel füllen. Den Teig dünn ausrollen. Eine Springform (26 cm Ø) ausfetten. Den Teig in die Form geben. Im Ofen etwa 15 Minuten vorbacken.

3. Den Kuchenboden mit Semmelbröseln bestreuen und die Apfelfüllung darüber verteilen. Die Marzipanmasse gitterförmig daraufspritzen. Die Backofenhitze auf 175 °C reduzieren und den Kuchen 15 Minuten backen. Die Aprikosenmarmelade glattrühren, aufkochen und den Kuchen damit glasieren.

# Birnenschnitten

**Zubereitungszeit**
*ca. 45 Min.*
**Backzeit**
*ca. 35 Min.*
**Zeit zum Kühlen**
*ca. 2 Std.*

**Für den Teig:**
250 g Butter
200 g Zucker
1 Prise Salz
5 Eier
100 g gehackte Mandeln
(z.B. von Schwartau)
250 g Mehl
$1/2$ P. Backpulver
1 cl Kirschwasser
**Für den Belag:**
200 g Aprikosenkonfitüre
1,6 kg Birnenhälften
( aus der Dose)
500 g Magerquark

200 g Zucker
Saft von 1 Zitrone
750 g Sahne
10 Blätter weiße Gelatine
1 cl Kirschwasser
**Außerdem:**
Fett für das Blech
100 g Schokoladenraspel

## So wird's gemacht

1. Den Backofen auf 180 °C vorheizen.
   Butter zusammen mit Zucker und
   Salz schaumig rühren. Die Eier einzeln unterrühren. Die Mandeln unterziehen. Mehl mit Backpulver vermischen, durchsieben und unter
   Rühren löffelweise zur übrigen Teigmasse geben. Das Kirschwasser unterrühren. Ein Blech einfetten, den
   Teig darauf verstreichen und im
   Ofen etwa 35 Minuten backen.
2. Den gebackenen Teig in vier Teile
   schneiden und auf einem Küchentuch abkühlen lassen. Aprikosen-

konfitüre glattrühren, durch ein
Sieb streichen, erwärmen und die
Teigplatten damit bestreichen. Birnenhälften abtropfen lassen. Quark
mit Zucker und Zitronensaft verrühren.
3. Die Sahne steif schlagen. Die Gelatine nach Packungsanweisung in Wasser auflösen und unter die Quarkmasse rühren. Dann die Sahne und
   das Kirschwasser unterziehen.
4. Die Birnenhälften jeweils längs
   durchschneiden und auf den Teigplatten verteilen. Jeweils Quark-
   Sahne-Masse darauf verstreichen
   und das Ganze für 2 Stunden kühl
   stellen. Vor dem Servieren mit
   Schokoladenraspeln bestreuen und
   jede Platte in vier Teile schneiden.

# Mohn-Stachelbeer-Kuchen

**Zubereitungszeit**
*ca. 30 Min.*
**Zeit zum Ruhen**
*ca. 30 Min.*
**Backzeit**
*ca. 50 Min.*

**Für den Teig:**

250 g Mehl

1 TL Backpulver

165 g Zucker

125 g Butter

1 Ei

1 Prise Salz

**Für die Füllung:**

375 ml Milch

5 EL Zucker

75 g Grieß

1 Btl. Mohn-back

(z.B. von Schwartau)

2 Eier

700 g Stachelbeeren (aus dem Glas)

**Für die Streusel:**

100 g Butter

100 g Mehl

75 g Zucker

**Außerdem:**

Fett für die Form

Puderzucker zum Bestäuben

**So wird's gemacht**

1. Aus den angegebenen Zutaten einen Mürbeteig nach Rezeptanweisung auf Seite 19 zubereiten, diesen in Alufolie wickeln und 30 Minuten kühl stellen. Den Backofen auf 200 °C vorheizen. Den Mürbeteig ausrollen. Eine Springform (26 cm Ø) ausfetten und mit zwei Dritteln des Teiges als Boden auslegen. Den restlichen Teig zu einer Rolle formen und diese als Rand auf den Teigboden geben. Den Rand mit 2 Fingern etwa 3 cm hochdrücken.

Den Boden mit einer Gabel mehrmals einstechen und den Teig im Ofen etwa 12 Minuten vorbacken.

2. Für die Füllung die Milch aufkochen lassen, vom Herd nehmen, Zucker sowie Grieß einrühren und die Masse wieder aufkochen lassen. Mohnback unterrühren. Die Eier trennen. Die Eigelbe unter die Milch-Mohn-Mischung rühren. Die Eiweiße steif schlagen und unterheben.

3. Die Hälfte der Füllung auf dem vorgebackenen Boden verteilen. Stachelbeeren abtropfen lassen, darübergeben und die restliche Füllung gleichmäßig auf den Früchten verstreichen. Für die Streuseln Butter, Mehl und Zucker mit den Händen verkneten und zwischen den Fingern zerkrümeln. Die Streusel auf dem Kuchen verteilen und diesen im Ofen etwa 35 Minuten backen. Nach dem Abkühlen mit Puderzucker bestäuben.

# Himbeerschicht-torte

**Zubereitungszeit**
*ca. 1 Std. 15 Min.*
**Backzeit**
*ca. 10 Min.*
**Zeit zum Kühlen**
*ca. 2 Std. 50 Min.*

**Für den Teig:**

| |
|---|
| 500 g Mehl |
| 500 g Butter |
| 1 TL Salz |
| 375 ml eiskaltes Wasser |

**Für die Füllung:**

| |
|---|
| 200 g Frischkäse |
| 200 g Sahne |
| 8 EL Zucker |
| Saft von 1 Zitrone |
| 5 cl Himbeergeist |
| 500 g Himbeeren |
| 4 Blätter weiße Gelatine |

**Für die Glasur:**

| |
|---|
| 100 g Himbeergelee |
| 100 g Puderzucker |
| Saft von 1 Zitrone |

**So wird's gemacht**

1. Das Mehl auf eine Arbeitsplatte sieben und ringförmig aufhäufen. Die Butter würfeln und außen um den Mehlring verteilen. Sie mit wenig Mehl bestäuben. Salz über das Mehl streuen und das eiskalte Wasser in die Mitte gießen.
2. Mit einer Hand vorsichtig das Wasser mit dem Mehl mischen, bis aus Wasser und Mehl ein zäher Teig entsteht. Noch keine Butter einarbeiten. Dann den Teig rasch und kräftig mit den Butterwürfeln verkneten. Den Teig zu einem rechteckigen Block formen, mit einem feuchten Tuch bedecken und für etwa 10 Minuten kühl stellen.
3. Den Teig zu einem Rechteck ausrollen und möglichst exakt zu drei Schichten übereinanderklappen. Im Kühlschrank 5 Minuten ruhen lassen

und dann den Vorgang dreimal wiederholen (Ruhezeiten nicht vergessen).

4. Den Teig portionsweise etwa 3 mm dick zu vier Teigplatten, jeweils etwas größer als eine Springform von 26 cm Ø ausrollen. Jeden Teigboden auf ein mit Pergamentpapier belegtes Backblech legen. Die Springform jeweils mit dem oberen Rand nach unten daraufsetzen und die Böden mit einem spitzen Messer entlang des äußeren Formrandes ausschneiden. Der Teig zieht sich beim Backen etwas zusammen, daher schneidet man ihn etwas größer aus.
5. Die Böden einzeln auf ein mit Wasser benetztes Blech legen, mit einer Gabel mehrmals einstechen und etwa 20 Minuten ruhen lassen. Inzwischen den Backofen auf 220 °C vorheizen. Die Böden in den Ofen geben und in etwa 10 Minuten hellbraun backen.
6. Für die Füllung Frischkäse, Sahne, Zucker, Zitronensaft und Himbeergeist verrühren. Die Himbeeren kurz waschen, verlesen und einige schöne für die Garnitur beiseite legen. Die übrigen vorsichtig unter die Creme heben.
7. Die Gelatine nach Packungsanweisung einweichen, in warmem Wasser auflösen und unter die Creme rühren. Den ersten Tortenboden in eine Springform legen und ein Drittel der Creme darauf verstreichen. Dann den zweiten Boden darauflegen, mit Creme bestreichen, den dritten Boden daraufsetzen und die restliche Creme darauf verteilen. Zum Schluß den letzten Boden darüberlegen.
8. Für die Glasur das Himbeergelee zusammen mit dem Puderzucker und dem Zitronensaft gründlich glattrühren. Die Oberfläche der Torte mit der Glasur bestreichen.
9. Die Torte in der Form für etwa 2 Stunden kühl stellen. Dann die

Springform vorsichtig öffnen und den Ring entfernen. Die Torte mit den restlichen Himbeeren garnieren und gut gekühlt servieren.

## Tip

Der Teig in diesem Rezept ist ein sogenannter „Blitzblätterteig". Die relativ kurzen Ruhezeiten zwischen den „Touren" (der Teig wird dünn ausgerollt und dann in 3 bis 4 Schichten wieder zusammengelegt) verleihen ihm seinen Namen. Der gebackene Teig hat eine leichte, knusprige Konsistenz und eignet sich hervorragend als Tortenboden für Torten mit üppigen Füllungen.

## Variation

Besonders köstlich, dafür aber etwas teurer wird die Schichttorte, wenn Sie sie mit Walderdbeersahne füllen. Hierfür von 500 g Walderdbeeren etwa 48 Stück für die Dekoration heraussuchen. Die restlichen in einer Schüssel mit 5 Eßlöffeln Puderzucker bestreuen und mit 1 Eßlöffel Rum beträufeln. Die Beeren mit einer Gabel grob zerdrücken und 30 Minuten durchziehen lassen. Knapp 1 Liter Sahne zusammen mit 80 g Zucker steif schlagen. Etwa zwei Drittel davon mit den zerdrückten Beeren mischen und die drei Böden damit füllen. Die Torte glasieren. Restliche Sahne in einen Spritzbeutel füllen und die Torte mit Sahnerosetten und Walderdbeeren verzieren. Vor dem Servieren kühl stellen und innerhalb von 2 Tagen verzehren.

# Sommerbeerentorte

**Zubereitungszeit**
*ca. 1 Std. 15 Min.*
**Zeit zum Kühlen**
*ca. 5 Std.*

*2 helle oder dunkle Wiener Böden*
*(Fertigprodukt)*
*500 g Erdbeeren*
*250 g Heidelbeeren*
*350 g Brombeeren*
*100 g Zucker*
*7 Blätter weiße Gelatine*
*450 g Vollmilchjoghurt*
*2 Eigelb*
*2 EL Zitronensaft*
*2 EL Orangensaft*
*400 g Sahne*
*2 EL Himbeergeist*
**Für den Guß:**
*1/2 P. klarer Tortenguß*
*1 EL Zucker*
*1/8 l trockener Weißwein*

**So wird's gemacht**

1. Eine Springform in der Größe der Wiener Böden an Rand und Boden glatt mit Backpapier auslegen.
2. Alle Beerensorten waschen, abtropfen lassen und putzen bzw. verlesen. Etwa 2 Eßlöffel Brombeeren durch ein Sieb streichen und das Püree mit 5 Eßlöffeln Zucker verrühren. Zugedeckt kühl stellen. Die Gelatine in reichlich kaltem Wasser einweichen.
3. Etwa 10 Erdbeeren der Länge nach in dicke Scheiben schneiden und als äußeren Ring auf den Springformboden legen, die restlichen würfeln. Die Mitte mit zwei weiteren Ringen aus etwa 120 g Brombeeren und 60 g Erdbeeren auslegen. Einen Boden in die Springform geben. Joghurt, restlichen Zucker, Eigelbe sowie Zitronen- und Orangensaft mit dem Schneebesen verquirlen und dann im Wasserbad zu einer cremigen Masse aufschlagen. Die Gelatine ausdrücken und unter Rühren in der warmen Masse auflösen. Die Schüssel mit der Creme in Eiswasser stellen und die Creme kalt schlagen.
4. Die Sahne steif schlagen. Das Brombeerpüree unter die kalte Joghurtcreme ziehen. Restliche Früchte zusammen mit Sahne und Himbeergeist vorsichtig unter die Creme heben. Die Masse in der Springform verteilen und glattstreichen.
5. Den zweiten Tortenboden darüberlegen und die Torte für 5 Stunden kühl stellen. Dann auf eine Tortenplatte stürzen, Form und Papier vorsichtig entfernen. Den Tortenguß nach Packungsanweisung, aber anstelle von Wasser mit Wein, zubereiten. Die Früchte hauchdünn damit bepinseln.

# Avocadokuchen

**Zubereitungszeit**
*ca. 20 Min.*
**Backzeit**
*ca. 20 Min.*

| |
|---|
| *3 Eiweiß, 70 g Puderzucker* |
| *4 Avocados* |
| *3 Eigelb* |
| *je $1/2$ TL Zimtpulver und Kardamom* |
| *5 EL Mehl, 1 TL Backpulver* |
| *3 EL Kakaopulver* |
| *1 Prise Salz* |
| *Fett für die Form* |
| *Saft von 1 Zitrone* |
| *100 g geschlagene Sahne* |
| *4–5 Zitrusfrüchte* |
| *(z.B. Orangen, Grapefruits)* |
| *5–6 EL Orangenmarmelade* |

## So wird's gemacht

1. Eiweiße zusammen mit 5 Eßlöffeln Puderzucker steif schlagen. Eine Avocado halbieren, das Fruchtfleisch mit einem Teelöffel aus der Schale lösen und pürieren. Das Püree mit Eigelben, Gewürzen und 1 Eßlöffel Wasser glattrühren.

2. Backofen auf 160 °C vorheizen. Mehl mit Back- und Kakaopulver mischen. Die Hälfte des Eischnees unter das Avocadopüree ziehen. Restlichen Schnee zusammen mit Mehl-Kakao-Mischung dazugeben und alles vermischen. Eine Springform (26 cm Ø) ausfetten, den Teig hineingeben und etwa 10 Minuten backen.

3. Fruchtfleisch von zwei Avocados zusammen mit Zitronensaft und restlichem Puderzucker pürieren, die Sahne unterziehen. Zitrusfrüchte filieren, dabei den Saft auffangen. Fruchtfleisch der vierten Avocado in Spalten schneiden und mit dem Saft beträufeln. Tortenboden mit Creme bestreichen und mit Früchten belegen. Orangenmarmelade erwärmen, durch ein Sieb streichen und den Kuchen damit bestreichen.

# Beeren-Frischkäse-Torte

**Zubereitungszeit**
*ca. 30 Min.*
**Backzeit**
*ca. 20 Min.*
**Zeit zum Kühlen**
*ca. 3 Std.*

*Für den Teig:*

2 Eiweiß, 2 Eigelb, 8 EL Zucker

3 EL Mehl, 3 EL Speisestärke

1 TL Backpulver

5 EL gemahlene Haselnüsse

2 EL abgekühlte, noch flüssige Butter

*Für die Füllung:*

8 Blätter weiße Gelatine

400 g Doppelrahmfrischkäse

Saft und abgeriebene Schale von

1 unbehandelten Zitrone

100 g Zucker, 300 g Sahne

500 g gemischte, frische Beeren

*Zum Garnieren:*

250 g frische, verlesene Beeren

1 P. klarer Tortenguß, 2 EL Zucker

250 ml roter Johannisbeersaft

100 g steif geschlagene Sahne

5 EL geraspelte Haselnüsse

## So wird's gemacht

1. Backofen auf 175 °C vorheizen. Eiweiße steif schlagen. Eigelbe zusammen mit Zucker und 2 Eßlöffeln kaltem Wasser cremig schlagen. Eischnee auf Eigelbmasse geben. Mehl zusammen mit der Speisestärke und dem Backpulver darübersieben und unterheben. Nüsse daruntermischen und die Butter unterziehen.
2. Eine Springform (26 cm Ø) nur am Boden einfetten. Die Biskuitmasse einfüllen, glattstreichen und im Ofen etwa 20 Minuten backen.
3. Die Gelatine in Wasser einweichen. Frischkäse mit Zitronensaft- und schale sowie Zucker verrühren. Die Sahne steif schlagen. Die Gelatine bei milder Hitze auflösen und unter die Frischkäsemasse ziehen. Sobald die Masse fest zu werden beginnt,

Sahne und Beeren daruntermischen. Die Füllung auf dem Tortenboden verteilen und glattstreichen.
4. Die Torte für 3 Stunden kühl stellen. Mit Beeren garnieren. Tortenguß zusammen mit Zucker und Johannisbeersaft zubereiten. Auf den Beeren verteilen. Die Torte mit Sahnehäubchen und Haselnüssen garnieren.

*(auf dem Foto unten)*

# Brüsseler Beerentorte

**Zubereitungszeit**
*ca. 1 Std. 30 Min.*
**Backzeit**
*ca. 20 Min.*
**Zeit zum Kühlen**
*ca. 3 Std.*

*Für den Mürbeteig:*

160 g Mehl (z.B. von Aurora)

80 g Butter, 4 EL Zucker

1 Ei, 1 Prise Salz

*Für den Biskuitteig:*

6 Eiweiß, 6 Eigelb, 150 g Zucker

75 g Mehl, 75 g Speisestärke

*Für die Füllung:*

200 g rohgerührte Erdbeermarmelade

3 Blätter weiße Gelatine

400 ml ungesüßter Kirschsaft

Zucker nach Geschmack

2 EL Zitronensaft

4 EL Speisestärke, 400 g Sahne

250 g gemischte, frische Beeren

*Zum Garnieren:*

300 g gemischte, frische Beeren

1 P. klarer Tortenguß

*Außerdem:*

Zucker für das Tuch, Fett für die Form

## So wird's gemacht

1. Aus den angegebenen Zutaten einen Mürbeteig nach Rezeptanweisung auf Seite 19 zubereiten, diesen in

Alufolie wickeln und kühl stellen. Backofen auf 220 °C vorheizen.
2. Für den Biskuitteig Eiweiße steif schlagen. Eigelbe zusammen mit Zucker und 6 Eßlöffeln Wasser cremig schlagen. Eischnee auf Eigelbmasse geben. Mehl mit der Speisestärke darübersieben, unterheben.
3. Backblech mit Backpapier belegen. Zwei Drittel der Biskuitmasse daraufgeben, glattstreichen und 5 bis 7 Minuten backen. Ein Küchentuch mit Zucker bestreuen, den Biskuit daraufstürzen und das Backpapier abziehen. Biskuit mit drei Viertel der Erdbeermarmelade bestreichen und zu einer Roulade aufrollen.
4. Eine Springform (26 cm Ø) fetten. Restliche Biskuitmasse hineinfüllen und etwa 7 Minuten backen. Backofen auf 200 °C einstellen. Mürbeteig ausrollen. Die Springform erneut ausfetten. Mürbeteig hineingeben und 8 bis 10 Minuten backen.
5. Gelatine in Wasser einweichen. Kirschsaft zusammen mit Zucker und Zitronensaft zum Kochen bringen. Speisestärke mit 4 Eßlöffeln Wasser verrühren und einrühren. Aufkochen lassen, bis die Masse klar ist. Gelatine ausdrücken, hinzufügen und unterrühren. Die Creme kühl stellen.
6. Mürbeteigboden mit restlicher Erdbeermarmelade bestreichen. Den Biskuitboden darauflegen. Das Ganze mit einem Tortenring umschließen.
7. Die Roulade in etwa 1 cm dicke Scheiben schneiden und diese jeweils senkrecht innen an den Tortenring setzen. Sahne steif schlagen und zusammen mit den Beeren unter die Kirschcreme ziehen. Die Masse in die Springform füllen und die Torte für 3 Stunden kühl stellen.
8. Die Torte mit den Beeren garnieren. Den Tortenguß nach Packungsanweisung zubereiten und auf der Oberfläche verteilen.

*(auf dem Foto oben)*

# Erdbeerkuppeltorte

**Zubereitungszeit**
*ca. 45 Min.*
**Backzeit**
*ca. 20 Min.*
**Zeit zum Kühlen**
*über Nacht*

**Für den Teig:**

| |
|---|
| *3 Eiweiß, 3 Eigelb* |
| *100 g Zucker* |
| *1 P. Vanillezucker* |
| *100 g Mehl* |
| *1/2 TL Backpulver* |
| *100 g abgekühlte,* |
| *noch flüssige Butter* |
| *Fett für die Form* |

**Für die Creme:**

| |
|---|
| *2 EL Erdbeerkonfitüre* |
| *je 1 P. gemahlene, rote und* |
| *weiße Gelatine* |
| *450 g Erdbeeren* |
| *100 g Zucker* |

| |
|---|
| *Saft von 1/2 Zitrone* |
| *150 g Erdbeerjoghurt* |
| *400 g Sahne* |

**Zum Garnieren:**

| |
|---|
| *200 g Sahne* |
| *1 P. Vanillezucker* |
| *3 Baisers (Fertigprodukt)* |
| *7 geviertelte Erdbeeren* |
| *2–3 EL aufgelöste Kuvertüre* |
| *2 Kiwis* |

## So wird's gemacht

1. Den Backofen auf 175 °C vorheizen. Aus den angegebenen Zutaten einen Biskuitteig nach Rezeptanweisung auf Seite 21 zubereiten. Eine Springform (28 cm Ø) am Boden einfetten, den Teig einfüllen und 15 bis 20 Minuten backen. Dann mit Erdbeerkonfitüre bestreichen.

2. Die Gelatine in Wasser einweichen und quellen lassen. Die Erdbeeren waschen, putzen, vierteln und zusammen mit Zucker und Zitronensaft pürieren. Den Joghurt unterziehen. Die Gelatine bei milder Hitze auflösen und einrühren. Die Sahne steif schlagen und unterheben. Die Masse in eine mit kaltem Wasser ausgespülte, kuppelartige Schüssel füllen und über Nacht im Kühlschrank fest werden lassen.

3. Die Schüssel kurz in heißes Wasser tauchen und die Masse auf den Tortenboden stürzen. Sahne zusammen mit Vanillezucker steif schlagen und in einen Spritzbeutel füllen. Baisers zerbröckeln. Obere Mitte der Torte mit Sahnerosetten und geviertelten Erdbeeren verzieren. Unteren Rand mit Sahne einstreichen und mit Baiserstücken belegen. Baisers mit Kuvertüre überziehen. Kiwis schälen, in Scheiben schneiden und diese vierteln. Den unteren Rand der Torte mit Sahnerosetten, Erdbeer- und Kiwivierteln garnieren.

# Erdbeer-Vanille-Torte

**Zubereitungszeit**
*ca. 1 Std. 30 Min.*
**Backzeit**
*ca. 35 Min.*
**Zeit zum Kühlen**
*ca. 3 Std.*

*Biskuitteig (Rezept siehe Seite 21)*
*Fett für die Form*
*2 EL Erdbeermarmelade*
*4 Blätter weiße Gelatine*
*1 P. Vanillepudding*
*1/2 l Milch, 2 EL Zucker*
*250 g geschlagene Sahne*
*250 g geviertelte Erdbeeren*
***Zum Garnieren:***
*250 g geschlagene Sahne*
*500 g halbierte Erdbeeren*
*1 P. klarer Tortenguß*

## So wird's gemacht

1. Backofen auf 200 °C vorheizen. Biskuitteig nach Rezeptanweisung von Seite 21 zubereiten. Springform (24 cm Ø) einfetten, Biskuitmasse einfüllen und 20 Minuten backen. Dann in drei Böden teilen.
2. Untersten Tortenboden mit Erdbeermarmelade bestreichen. Gelatine in Wasser einweichen. Vanillepudding nach Packungsanweisung zusammen mit Milch und Zucker zubereiten. Gelatine in den heißen Pudding rühren. Sahne steif schlagen und zusammen mit Erdbeeren unterziehen.
3. Tortenboden mit Tortenring umschließen und die Hälfte der Creme daraufstreichen. Zweiten Boden daraufsetzen, mit restlicher Creme bestreichen und mit letztem Boden bedecken. Für etwa 3 Stunden kühl stellen. Tortenring lösen, Torte gleichmäßig mit Sahne bestreichen und mit Erdbeerhälften belegen. Tortenguß zubereiten und die Erdbeeren damit bepinseln.

# Bananentorte

**Zubereitungszeit**
*ca. 50 Min.*
**Backzeit**
*ca. 35 Min.*
**Zeit zum Kühlen**
*ca. 3 Std.*

*Für den Teig:*
*5 Eiweiß, 5 Eigelb*
*125 g Zucker, 125 g Mehl*
*1 TL Zimtpulver*
*1/8 l Bananensaft*
*3 EL Bananenlikör*
*Für die Creme:*
*12 Blätter weiße Gelatine*
*7 Bananen, 8 EL Zucker*
*Saft von 1 Zitrone*
*500 g saure Sahne*
*Für den Belag:*
*5 EL Kokosraspel*
*1 P. klarer Tortenguß*
*3 EL Bananenlikör*

*2 EL Zucker, 1 Banane*
*1 Papaya*
*Saft von 1 Zitrone*
*15 Zitronenmelisseblättchen*

**So wird's gemacht**
1. Backofen auf 180 °C vorheizen, eine Springform (24 cm Ø) mit Backpapier auslegen. Eiweiße steif schlagen. Eigelbe zusammen mit Zucker und 5 Eßlöffeln Wasser etwa 2 Minuten cremig schlagen, bis eine weißliche, luftige Masse entsteht. Den Eischnee auf die Eigelbmasse geben. Mehl zusammen mit Zimt darübersieben und vorsichtig unterheben. In die Form füllen und etwa 35 Minuten backen.
2. Für die Creme die Gelatine in Wasser einweichen. Bananen schälen, kleinschneiden und zusammen mit Zucker, Zitronensaft und saurer Sahne pürieren. Gelatine bei milder Hitze auflösen und in das Püree

rühren. Biskuitboden abkühlen lassen und in drei Böden teilen. Die Böden mit Bananensaft und -likör tränken.
3. Ein Drittel der Creme auf den unteren Boden streichen, den zweiten Boden darauflegen und mit dem zweiten Drittel bestreichen. Letzten Boden daraufsetzen und mit restlicher Creme bestreichen. Kokosraspel in einer Pfanne anbräunen und um den Tortenrand verteilen.
4. Tortenguß zusammen mit Likör, 1/4 Liter Wasser sowie Zucker aufkochen und abkühlen lassen. Banane schälen und in Scheiben schneiden. Papaya schälen, halbieren, entkernen und in Spalten schneiden. Banane und Papaya mit Zitronensaft beträufeln und auf der Torte anrichten. Guß darüber verteilen. Mit Melisseblättchen garnieren und vor dem Servieren für mindestens 3 Stunden kühl stellen.

# Bananen-Limetten-Torte

**Zubereitungszeit**
*ca. 50 Min.*
**Backzeit**
*ca. 40 Min.*
**Zeit zum Kühlen**
*ca. 1 Std.*

**Für den Teig:**

| |
|---|
| *100 g feingemahlener Dinkel* |
| *7 EL feingemahlener Weizen* |
| *5 EL brauner Rohrzucker* |
| *1/4 TL gemahlene Vanille* |
| *80 g Butter, 1 Ei* |
| *Butter für die Form* |

**Für den Belag:**

| |
|---|
| *100 g Sahne, 4 Limetten* |
| *1 Ei, 1 Eigelb* |
| *21/2 EL Akazienhonig* |
| *5 EL gemahlene Mandeln* |
| *3 Bananen, 1 TL Limettensaft* |

**So wird's gemacht**

1. Aus den angegebenen Zutaten einen Mürbeteig herstellen, diesen in Alufolie wickeln und 30 Minuten kühl stellen. Den Backofen auf 200 °C vorheizen. Eine Springform (24 cm Ø) ausfetten.

2. Den Teig ausrollen, in die Form geben und einen 21/2 cm hohen Rand formen. Den Boden mit einer Gabel mehrmals einstechen und den Teig im Ofen 15 Minuten vorbacken. Herausnehmen und dann die Backofenhitze auf 180 °C reduzieren.

3. Die Sahne steif schlagen. Limetten heiß abwaschen und abtrocknen. Von 3 Limetten die Schale abreiben und die Früchte auspressen. Ei, Eigelb, Honig und 3 Eßlöffel Limettensaft gründlich verrühren. Etwa 2 Teelöffel abgeriebene Limettenschale, Mandeln und Sahne unterziehen.

4. Eine Banane schälen, in dünne Scheiben schneiden und diese auf dem Tortenboden verteilen. Die Creme darüberstreichen. Die Tarte im Ofen etwa 25 Minuten backen, bis sie goldgelb ist. Abkühlen lassen und auf eine Tortenplatte geben.

5. Die vierte Limette in dünne Scheiben schneiden. Restliche Bananen schälen, in Scheiben schneiden und diese mit Limettensaft beträufeln. Die Tarte mit Limetten- und Bananenscheiben belegen. Restliche Limettenschale auf den Rand der Tarte streuen. Vor dem Servieren für 1 Stunde kühl stellen.

# Tiramisu-Kiwi-Torte

**Zubereitungszeit**
*ca. 45 Min.*
**Backzeit**
*ca. 15 Min.*
**Zeit zum Kühlen**
*ca. 1 Std.*

**Für den Teig:**

*3 Eiweiß, 3 Eigelb*

*80 g Puderzucker*

*1 Prise Salz, 5 EL Mehl*

*5 EL Speisestärke*

*1 Msp. Backpulver*

*1 cl Kirschwasser*

**Für die Füllung:**

*5 EL Aprikosenkonfitüre*

*6–8 Kiwis, 1 P. klarer Tortenguß*

*1 EL Zitronensaft*

**Für den Belag:**

*4 Eier, 5 EL Zucker*

*1 Btl. Kirschwasser-back*

*(z.B. von Schwartau)*

*500 g Mascarpone (Frischkäse)*

*6 Blätter weiße Gelatine*

*2 EL Kakaopulver*

*Sckoko-Dekor-Blätter*

**So wird's gemacht**

1. Den Backofen auf 200 °C vorheizen. Aus den angegebenen Zutaten einen Biskuitteig herstellen. Eine Springform (26 cm Ø) mit Backpapier auslegen, den Teig einfüllen und etwa 15 Minuten backen. In der Form abkühlen lassen. Die Aprikosenkonfitüre erwärmen, durch ein Sieb streichen und den Tortenboden damit bestreichen.

2. Die Kiwis schälen, in Scheiben schneiden und den Boden damit belegen. Einige Scheiben für die Dekoration beiseite legen. Tortenguß nach Packungsanweisung zubereiten, Zitronensaft einrühren und den Guß über die Kiwischeiben gießen.

3. Für den Belag die Eier trennen. Eiweiße steif schlagen. Eigelbe zusammen mit 4 Eßlöffeln Wasser und Zucker schaumig schlagen.

4. Kirschwasser-back und Mascarpone einrühren. Gelatine einweichen, erhitzen, auflösen und unterziehen. Eischnee unterheben und die Creme auf die Kiwischeiben streichen.

5. Die Torte gleichmäßig mit Kakaopulver bestäuben. Mit Kiwischeiben und Schoko-Dekor-Blättern garnieren. Vor dem Servieren für 1 Stunde kühl stellen.

# Johannisbeertorte

**Zubereitungszeit**
*ca. 25 Min.*
**Zeit zum Kühlen**
*ca. 3 Std.*

*2 dunkle Wiener Böden*
*(Fertigprodukt)*
*2 cl Cassis (Johannisbeerlikör)*
*750 g schwarze Johannisbeeren*
*150 g Zucker*
*500 g Magerquark*
*abgeriebene Schale einer*
*unbehandelten Zitrone*
*ausgekratztes Mark einer*
*Vanilleschote*
*2 Eiweiß*
*1 Prise Salz*
*150 g Sahne*

### So wird's gemacht

1. Die Wiener Böden jeweils auf die Größe einer Springform (26 cm Ø) zurechtschneiden. Jeden Boden mit je 1 cl Cassis beträufeln und einen Boden in die Springform geben.

2. Die Johannisbeeren von den Rispen streifen, waschen und abtropfen lassen. Einige schöne für die Verzierung beiseite legen, die restlichen zusammen mit der Hälfte des Zuckers pürieren.

3. Quark zusammen mit restlichem Zucker, Zitronenschalenabrieb und Vanilleschotenmark verrühren. Eiweiße zusammen mit Salz steif schlagen und unterziehen. Sahne ebenfalls steif schlagen und unterheben. Zuletzt das Johannisbeerpüree einrühren.

4. Den unteren Boden mit der Hälfte der Masse bestreichen. Den zweiten Boden darauflegen und die Torte rundherum mit der restlichen Creme bestreichen. Für etwa 3 Stunden kühl stellen und dann mit restlichen Johannisbeeren verzieren.

# Stachelbeertorte

**Zubereitungszeit**
*ca. 45 Min.*
**Zeit zum Ruhen**
*ca. 1 Std.*
**Backzeit**
*ca. 30 Min.*

**Für den Teig:**

*5 EL gemahlene Mandeln*

*125 g Mehl*

*1/2 TL Backpulver*

*85 g Butter, 5 EL Zucker*

*1 Eigelb, 1 Prise Salz*

*1/2 Btl. Citro-back*

*(z.B. von Schwartau)*

*Fett für die Form*

**Für die Füllung:**

*1/8 l Stachelbeersaft*

*1 EL Speisestärke*

*5 EL Zucker, 2 Eigelb*

*1 cl Kirschwasser*

*5 EL Kokosraspel*

**Für den Belag:**

*680 g Stachelbeeren (aus dem Glas)*

*3 Eiweiß*

*150 g Zucker*

*5 EL gehobelte Mandeln*

**So wird's gemacht**

1. Aus den angegebenen Zutaten einen Mürbeteig herstellen, diesen in Alufolie wickeln und für 1 Stunde kühl stellen. Backofen auf 200 °C vorheizen.

2. Den Teig ausrollen, in eine gefettete Springform (26 cm Ø) geben und einen 2½ cm hohen Rand formen. Den Boden mit einer Gabel mehrmals einstechen und den Teig im Ofen etwa 20 Minuten backen.

3. Den Stachelbeersaft erhitzen. Die übrigen Zutaten für die Füllung mit dem Schneebesen einrühren. Die Creme kurz aufkochen und abkühlen lassen. Stachelbeeren abtropfen lassen.

4. Backofen auf 240 °C vorheizen. Die Creme auf den Tortenboden streichen und die Stachelbeeren darüber verteilen.

5. Die Eiweiße schaumig schlagen, den Zucker einrieseln lassen und weiter schlagen, bis sich der Zucker aufgelöst hat.

6. Die Baisermasse auf die Stachelbeeren streichen und mit einem Löffel ein Wellenmuster formen. Die Torte mit Mandeln bestreuen und im Ofen etwa 8 Minuten überbacken.

# Erdbeer-Pistazien-Torte

**Zubereitungszeit**
*ca. 45 Min.*
**Zeit zum Kühlen**
*ca. 5 Std.*

*150 g Zwieback*
*80 g zerlassene Butter*
*5 EL Zucker*
*1 Eiweiß*
*Fett für die Form*
***Für den Belag:***
*6 Blätter weiße Gelatine*
*6 EL Butter*
*100 g Zucker*
*2 Eigelb*
*150 g Sahne*
*500 g Mascarpone (Frischkäse)*
*3 EL Zitronensaft*
*1 Btl. Citro-back*
*(z.B. von Schwartau)*

*Zum Verzieren:*
*5 EL gehackte Pistazien*
*250 g halbierte Erdbeeren*
*Puderzucker zum Bestäuben*

**So wird's gemacht**
1. Zwieback fein zermahlen. Zusammen mit Butter, Zucker und Eiweiß zu einem krümeligen Teig verkneten. Eine Springform (22 cm Ø) ausfetten und den Boden mit Backpapier auskleiden. Den Teig auf den Boden geben und festdrücken.
2. Gelatine in Wasser einweichen. Butter und Zucker schaumig rühren. Eigelbe, Sahne sowie Mascarpone hinzufügen und die Masse kräftig aufschlagen. Mit Zitronensaft und Citro-back abschmecken.
3. Die Gelatine erhitzen, auflösen und schnell unter die Creme rühren. Die Creme in die Springform füllen, glattstreichen und in 5 Stunden im Kühlschrank fest werden lassen.

4. Die Torte aus der Form lösen, das Backpapier abziehen und die Torte auf eine Platte setzen. Den Rand dick mit Pistazien bestreuen. In die Tortenmitte Erdbeerhälften legen. Alles mit Puderzucker bestäuben.

**Tip**

Beträufeln Sie die Erdbeerhälften mit 1 Eßlöffel Kirschlikör.

# Biskuitroulade mit Früchte-Joghurt-Creme

**Zubereitungszeit**
*ca. 30 Min.*
**Backzeit**
*ca. 15 Min*
**Zeit zum Kühlen**
*ca. 1 Std.*

**Für den Teig:**

*4 Eiweiß, 1 Prise Salz*

*4 Eigelb, 150 g Zucker*

*1 P. Vanillezucker*

*3 EL Speisestärke*

*(z.B. von Mondamin)*

*80 g Mehl, 1 TL Backpulver*

**Für die Füllung:**

*6 Blätter weiße Gelatine*

*500 g Vollmilchjoghurt*

*Saft und abgeriebene Schale*

*einer unbehandelten Zitrone*

*3 EL Zucker*

*125 g Sahne*

*100 g rote Johannisbeeren*

*100 g Kapstachelbeeren (Physalis)*

**Außerdem:**

*Zucker für das Tuch*

*Puderzucker zum Bestäuben*

**So wird's gemacht**

1. Backofen auf 180 °C vorheizen. Eiweiße zusammen mit Salz steif schlagen. Eigelbe zusammen mit Zucker, Vanillezucker und 4 Eßlöffeln Wasser etwa 2 Minuten cremig schlagen, bis eine weißliche, luftige Masse entsteht. Den Eischnee auf die Eigelbmasse geben. Speisestärke, Mehl und Backpulver vermischen, darübersieben und vorsichtig unterheben. Ein Backblech mit Backpapier belegen, den Teig gleichmäßig darauf verstreichen und etwa 15 Minuten backen.

2. Inzwischen für die Füllung die Gelatine einweichen. Joghurt, Zitronensaft- und schale sowie Zucker verrühren. Gelatine erhitzen, auflösen, unter die Joghurtmasse ziehen und diese ins Gefrierfach stellen. Sahne steif schlagen. Johannisbeeren waschen und von den Rispen streifen. Kapstachelbeeren aus den Hüllen lösen und kleinschneiden.

3. Ein Küchentuch dick mit Zucker bestreuen. Den Biskuitteig aus dem Ofen nehmen, auf das Tuch stürzen, das Backpapier befeuchten und abziehen. Den Biskuit kurz abkühlen lassen. Die Sahne unter die Joghurtmasse ziehen und die Biskuitroulade damit bestreichen. Johannisbeeren und Kapstachelbeeren auf der Creme verteilen.

4. Die Roulade mit Hilfe des Tuches aufrollen und für etwa 1 Stunde kühl stellen. Vor dem Servieren mit Puderzucker bestäuben.

# Schokoladen-biskuitrolle

**Zubereitungszeit**
*ca. 30 Min.*
**Backzeit**
*ca. 12 Min.*
**Zeit zum Kühlen**
*ca. 2 Std.*

*je 65 g feingemahlener*
*Weizen und Dinkel*
*3 EL Kakaopulver, 4 Eiweiß*
*130 g Akazienhonig, 4 Eigelb*
*250 g Himbeeren, 400 g Sahne*
*200 g Doppelrahmfrischkäse*
*2 EL Akazienhonig*
*1 P. Vanillezucker, 3 Bananen*
*5 Blätter weiße Gelatine*
*Schokoladenraspel*

## So wird's gemacht

1. Backofen auf 200 °C vorheizen. Mehle mit Kakaopulver vermischen. Eiweiße zusammen mit 2 Eßlöffeln Wasser und Honig steif schlagen. Eigelbe unterrühren, Mehlmischung unterheben. Masse auf ein mit Backpapier belegtes Blech streichen und etwa 12 Minuten backen. Biskuit stürzen und Backpapier abziehen.

2. Himbeeren waschen und einige zum Garnieren zurückbehalten. Gelatine einweichen. Sahne steif schlagen. Frischkäse mit Honig und Vanillezucker glattrühren. Zwei Bananen schälen, pürieren und daruntermischen. Gelatine auflösen. Bananencreme darunterziehen und zwei Drittel der Sahne unterrühren.

3. Bananencreme auf die Roulade streichen, Himbeeren darübergeben und die Roulade aufrollen. Für 2 Stunden kühl stellen. Mit Sahne bestreichen, restliche Sahne als Rosetten daraufspritzen. Dritte Banane schälen und in Scheiben schneiden. Roulade mit Bananenscheiben, restlichen Himbeeren und Schokoladenraspeln garnieren.

# Stachelbeer-Baiser-Torte

**Zubereitungszeit**
*ca. 30 Min.*
**Backzeit**
*ca. 1 Std.*
**Zeit zum Kühlen**
*ca. 1 Std.*

**Für den Teig:**

*100 g Butter*
*5 EL Zucker*
*2 cl irischer Whiskey*
*1 P. Vanillezucker*
*1 Prise Salz*
*4 Eigelb*
*150 g Mehl (z.B. von Aurora)*
*1/2 P. Backpulver*
**Für die Baisermasse:**
*4 Eiweiß*
*200 g Zucker*
*1 Prise Salz*

*100 g Mandelblättchen*
**Für die Füllung:**
*500 g frische Stachelbeeren*
*4 EL Zucker*
*1 P. klarer Tortenguß*
*1 P. Sahnesteif*
*300 g Sahne*
*Puderzucker zum Bestäuben*

**So wird's gemacht**

1. Den Backofen auf 170 °C vorheizen. Für den Teig Butter zusammen mit Zucker, Whiskey, Vanillezucker und Salz schaumig rühren. Die Eigelbe einrühren. Mehl mit Backpulver mischen, dazusieben und untermengen. Ein Backblech mit Backpapier belegen und die Hälfte des Teiges als Kreis von 26 cm Ø auf das Papier streichen.

2. Für die Baisermasse Eiweiße zusammen mit Salz steif schlagen, dabei den Zucker einrieseln lassen. Die Hälfte der Masse auf dem Teigkreis verteilen und die Hälfte der Mandelblättchen darüberstreuen. Das Ganze im Ofen etwa 30 Minuten backen. Die andere Hälfte der beiden Teige ebenso verarbeiten. Böden ganz auskühlen lassen.

3. Stachelbeeren waschen, verlesen und mit Zucker bestreuen. Kurz Saft ziehen, dann abtropfen lassen, dabei den Saft auffangen. Die Beeren auf einem Boden verteilen. Tortenguß nach Packungsanweisung zusammen mit Stachelbeersaft zubereiten und über die Stachelbeeren geben.

4. Sahne zusammen mit Sahnesteif steif schlagen und auf die Beeren streichen. Den zweiten Boden daraufsetzen. Alles mit Puderzucker bestäuben und für 1 Stunde kühl stellen.

# Rhabarberkuchen

**Zubereitungszeit**
*ca. 45 Min.*
**Zeit zum Ruhen**
*ca. 1 Std.*
**Backzeit**
*ca. 40 Min.*

*200 g Mehl, 1 Ei, 120 g Butter*
*4 EL brauner Farinzucker*
*Fett für die Form*
*4 EL Kokosflocken*
*1 kg Rhabarber, 100 g Zucker*
*4 Eigelb, 3 EL Grieß*
*1 TL Zimtpulver*
*100 g saure Sahne, 5 Eiweiß*
*5 EL Puderzucker*
*2 EL gemahlene Haselnüsse*
*1 Msp. gemahlene Nelken*

### So wird's gemacht

1. Aus Mehl, Ei, Butter und Farinzucker einen Mürbeteig kneten. In
   Alufolie wickeln und für 1 Stunde
   kühl stellen. Ausrollen und in eine
   gefettete Springform (24 cm Ø) legen, dabei einen 4 cm hohen Rand
   formen. Kokosflocken in einer Pfanne anrösten und gleichmäßig auf
   den Teig streuen.
2. Ofen auf 200 °C vorheizen. Rhabarber schälen, in 3 cm lange Stücke
   schneiden und zusammen mit 4 Eßlöffeln Zucker und 1/8 Liter Wasser
   in 4 Minuten bißfest dünsten. Abtropfen lassen und auf dem Kuchenboden verteilen. Eigelbe und restlichen Zucker schaumig rühren,
   Grieß, Zimt und saure Sahne zugeben. 4 Eiweiße steif schlagen, unter
   die Eimasse ziehen und diese auf
   dem Rhabarber verteilen. Im Ofen
   etwa 40 Minuten backen.
3. Restliches Eiweiß steif schlagen, dabei Puderzucker, Haselnüsse und
   Nelken einrieseln lassen. In einen
   Spritzbeutel füllen. Nach 30 Minuten Backzeit den Kuchen vollständig
   mit Baisertupfen bedecken und in
   10 Minuten fertigbacken.

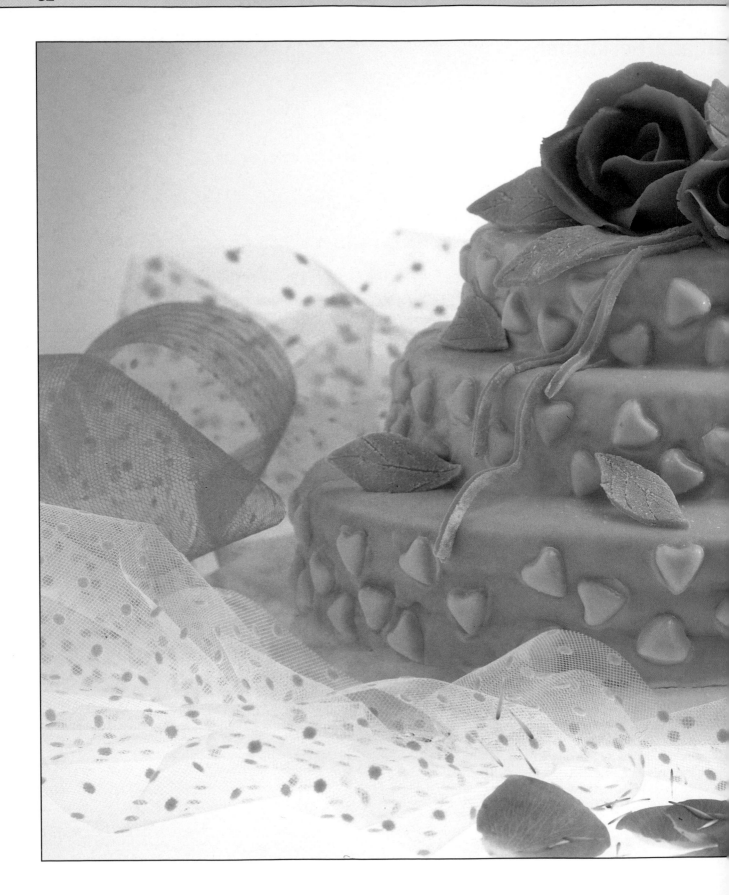

# Festtags-
# torten

Köstliche Torten mit zarten Cremes, süßen Früchten, feiner Sckokoladen-füllung und Sahnehauben – wer könnte da widerstehen? Diese kleinen Meisterwerke sind ein Genuß für Augen und Gaumen. Ob nun zum Geburts,-, Namens-, oder Muttertag, es gibt viele Anlässe, Freunde und Verwandten einmal so richtig zu verwöhnen. Mit mancher Torte können Sie auch einen ganz gewöhnlichen Tag zu Ihrem persönlichen Festtag machen!

# Rumfruchttorte

**Zubereitungszeit**
*ca. 1 Std.*
**Backzeit**
*ca. 30 Min.*
**Zeit zum Kühlen**
*ca. 5 Std.*

*75 g Mandelmakronen, 6 Eier,*
*250 g Zucker, 4 P. Vanillezucker*
*150 g Mehl, 5 EL Speisestärke*
*2 TL Backpulver, 10 Blätter weiße*
*Gelatine, 300 g Sahnejoghurt*
*abgeriebene Schale und Saft von*
*1/2 unbehandelten Zitrone*
*160 ml Rumtopfflüssigkeit*
*650 g Sahne, 200 g Rumtopffrüchte*
*175 ml. roter Traubensaft*
*2 P. Sahnesteif*

**So wird's gemacht**

1. Backofen auf 175 °C vorheizen.
   Makronen zerbröseln. 4 Eier zusammen mit 4 Eßlöffeln Wasser schaumig schlagen, dabei 150 g Zucker
   und 1 Päckchen Vanillezucker einrieseln lassen. Mehl, Speisestärke
   sowie Backpulver dazusieben und
   unterheben. Makronen einrühren.
   Springform (26 cm Ø) mit Backpapier auslegen. Die Masse hineinfüllen und etwa 30 Minuten backen.
2. In 3 Böden teilen. 8 Blätter Gelatine
   einweichen. Restliche Eier trennen,
   Eigelbe zusammen mit 75 g Zucker
   und 1 Päckchen Vanillezucker
   schaumig schlagen. Joghurt, Zitronenschale und -saft unterrühren.
   Gelatine erhitzen, auflösen und zusammen mit 8 Eßlöffeln Rumtopfflüssigkeit unter die Joghurtmasse
   rühren. Kühl stellen.
3. Eiweiße und 250 g Sahne zusammen
   mit restlichem Zucker jeweils getrennt steif schlagen und unter die
   gelierende Masse ziehen. Rumtopffrüchte ebenfalls unterziehen. Einen
   Boden mit einem Tortenring umschließen. Traubensaft mit 5 Eßlöffeln Rumtopfflüssigkeit verrühren.
   Ein Drittel davon auf den Boden
   gießen. Hälfte der Creme daraufstreichen. Zweiten Boden daraufsetzen und mit etwas Traubensaft beträufeln. Restliche Creme daraufstreichen, letzten Boden daraufsetzen und mit restlicher Flüssigkeit
   tränken. Torte kühl stellen.
4. Restliche Sahne zusammen mit Sahnesteif und restlichem Vanillezucker
   steif schlagen. Die Torte mit zwei
   Dritteln der Sahne bestreichen und
   mit restlicher Sahne verzieren. Für
   1 Stunde kühl stellen. Restliche Gelatine auflösen, mit restlichem Traubensaft und restlicher Rumtopfflüssigkeit verrühren. Etwa 15 Minuten
   kühl stellen. Dann auf die Torte
   gießen, im Kühlschrank fest werden
   lassen. Mit Sahnetupfen und Rum-
   topffrüchten verzieren.

# Prinz-Eugen-Torte

**Zubereitungszeit**
*ca. 1 Std.*
**Backzeit**
*ca. 35 Min.*

| |
|---|
| *6 Eier* |
| *100 g Butter* |
| *200 g Zucker* |
| *150 g bittere Blockschokolade* |
| *150 g gemahlene Mandeln* |
| *1 EL Rum* |
| *1 EL Weinbrand* |
| *Fett für die Form* |
| *250 g schwarze Johannisbeeren* |
| *250 g Sahne* |
| *1 P. Vanillezucker* |
| *5 EL Schokoladenraspel* |

### So wird's gemacht

1. Backofen auf 175 °C vorheizen. Eier trennen, Eigelbe zusammen mit Butter und 150 g Zucker schaumig rühren. Schokolade im Wasserbad schmelzen, zusammen mit Mandeln, Rum und Weinbrand unter die Eimasse rühren. Eiweiße steif schlagen und unterziehen. Masse in eine gefettete Springform füllen und 35 Minuten backen.

2. Vom gebackenen Kuchen eine 1 cm dicke Platte mit einem Löffel herausschaben, dabei einen Rand von 3 cm stehen lassen. Platte zerbröseln und die Brösel im Ofen bei 100 °C trocknen.

3. Johannisbeeren waschen, von den Rispen streifen und zusammen mit restlichem Zucker kurz aufkochen lassen. Abkühlen lassen und auf der Torte verteilen. Sahne zusammen mit Vanillezucker steif schlagen, geraspelte Schokolade daruntermischen und auf den Beeren aufhäufen. Die Torte mit Kuchenbröseln bestreuen.

# Pflaumentorte mit Weinbrand-Sahne-Creme

**Zubereitungszeit**
*ca. 1 Std.*
**Backzeit**
*ca. 30 Min.*
**Zeit zum Kühlen**
*ca. 2 Std.*

*Für den Teig:*

| |
|---|
| *50 g Walnußhälften* |
| *5 Eigelb* |
| *8 EL Zucker* |
| *5 EL Butter* |
| *4 Eiweiß* |
| *7 EL Kakaopulver* |
| *3 EL Mehl* |
| *5 EL Biskuitbrösel* |
| *(ersatzweise Zwiebackbrösel)* |

*Für die Füllung:*

| |
|---|
| *150 g Pflaumenmus* |
| *500 g Pflaumen* |
| *7 Blätter weiße Gelatine* |
| *3 Eigelb* |
| *8 EL Zucker* |
| *1 Msp. Zimtpulver* |
| *6 cl Weinbrand* |
| *700 g Sahne* |

**So wird's gemacht**

1. Den Backofen auf 190 °C vorheizen. Die Walnußhälften in der Küchenmaschine zermahlen oder im Mörser zerreiben. Die Eigelbe zusammen mit einem Drittel des Zuckers und den Nüssen mit dem Handrührgerät schaumig rühren. Die Butter erhitzen und schmelzen lassen.
2. Die Eiweiße zusammen mit dem restlichen Zucker steif schlagen. Kakopulver und Mehl vermischen, durchsieben und mit den Biskuitbröseln vermischen.
3. Ein Drittel des Eischnees unter die Eimasse heben, die Butter und die Bröselmischung unterrühren. Restlichen Eischnee unterheben.

4. Eine Springform (26 cm Ø) möglichst glatt mit Backpapier auslegen. Die Biskuitmasse hineinfüllen, glattstreichen und 25 bis 30 Minuten auf der mittleren Einschubleiste im Ofen backen.
5. Den Biskuit in der Form abkühlen lassen. Dann waagrecht in eine dickere und eine dünnere Schicht schneiden. Den dickeren Boden in eine Springform legen und mit der Hälfte des Pflaumenmuses dünn bestreichen.
6. Die Pflaumen waschen, trockenreiben, halbieren und entsteinen. Zwei Drittel der Pflaumenhälften mit der Öffnung nach unten gleichmäßig auf dem Pflaumenmus verteilen. Die restlichen Pflaumenhälften jeweils achteln und für die Verzierung beiseite legen.
7. Die Gelatine in kaltem Wasser einweichen. Die Eigelbe zusammen mit dem Zucker cremig schlagen. Restliches Pflaumenmus und Zimtpulver dazugeben und gut unterrühren. Den Weinbrand erwärmen. Die Gelatine ausdrücken, hinzufügen und im Alkohol auflösen. Die Mischung unter die Eicreme ziehen.
8. Die Sahne steif schlagen und unter die Creme rühren. Zwei Drittel der Creme auf den Pflaumehälften verteilen und glattstreichen. Die Torte auf eine Platte setzen und den Tortenring entfernen. Den dünneren Kuchenboden auflegen und gleichmäßig mit Creme bestreichen.
9. Die Pflaumenachtel kreisförmig auf der Torte verteilen. Die restliche Creme in einen Spritzbeutel füllen und den Tortenrand mit Cremetupfern bedecken. Vor dem Servieren für 2 Stunden kühl stellen.

## Tip

Biskuitbrösel erhalten Sie beim Bäcker. Sie können sie aber auch selbst herstellen, indem Sie einfach Löffelbiskuits mit den Fingern zerbröseln.

## Variation

Für diese Torte sollten Sie nur erstklassigen Weinbrand verwenden, da der Geschmack des Alkohols in der Sahne stark erhalten bleibt. Ebenso fein schmeckt die Sahnecreme auch mit hochwertigem Grappa oder französischem Cognac.

# Sachertorte

**Zubereitungszeit**
*ca. 1 Std.*
**Backzeit**
*ca. 1 Std.*
**Zeit zum Trocknen**
*ca. 30 Min.*

| |
|---|
| *200 g Zartbitterschokolade* |
| *200 g Butter* |
| *200 g Zucker* |
| *1 P. Vanillezucker* |
| *5 Eier* |
| *200 g Mehl* |
| *1 1/2 TL Backpulver* |
| *100 g gemahlene Mandeln* |
| *150 g Sckokoladenraspeln* |
| *450 g Aprikosenkonfitüre* |
| *200 g Marzipanrohmasse* |
| *4 EL Puderzucker* |
| *200 g Halbbitterkuvertüre* |

**So wird's gemacht**

1. Den Backofen auf 175 °C vorheizen. Die Schokolade im Wasserbad schmelzen und abkühlen lassen. Butter zusammen mit Zucker und Vanillezucker schaumig rühren. Eier einzeln, und dann die Schokolade einrühren. Mehl, Backpulver, Mandeln und Schokoladenraspeln vermischen und löffelweise unter die Eimasse rühren.

2. Den Teig in eine mit Backpapier ausgelegte Springform (26 cm Ø) füllen, glattstreichen und etwa 1 Stunde backen.

3. In der Form abkühlen lassen, dann Form und Backpapier entfernen und den Kuchen in zwei gleich dicke Böden schneiden. Aprikosenkonfitüre durch ein Sieb streichen. Oberen Boden mit der Schnittfläche nach oben auf ein Kuchengitter legen und mit einem Drittel der Konfitüre bestreichen.

4. Unteren Boden daraufsetzen und die Torte rundherum mit Konfitüre bestreichen. Marzipanrohmasse mit Puderzucker verkneten und zwischen 2 Bögen Pergamentpapier rund ausrollen. Marzipanplatte auf die Torte legen und festdrücken.

5. Kuvertüre im Wasserbad schmelzen und von der Mitte aus auf die Tortenoberfläche gießen. Mit einem Pfannenmesser verstreichen. Etwa 30 Minuten antrocknen lassen. Restliche Kuvertüre in ein Spritztütchen aus Pergament füllen und das Wort „Sacher" auf die Torte spritzen.

# Herrentorte

**Zubereitungszeit**
*ca. 45 Min.*
**Backzeit**
*ca. 40 Min.*

*6 Eigelb*
*175 g Zucker*
*1 P. Vanillezucker*
*6 Eiweiß*
*100 g Mehl*
*100 g Schokoladenpuddingpulver*
*5 EL Kakaopulver*
*2 TL Backpulver*
*150 g Butter*
*2 cl Rum*
*100 g Nußnougat*
*(z.B. von Schwartau)*
*300 g Vollmilchkuvertüre*
*1 P. Zuckerschrift*

## So wird's gemacht

1. Backofen auf 175 °C vorheizen. Eigelbe zusammen mit 6 Eßlöffeln Wasser schaumig schlagen, dabei zwei Drittel des Zuckers und Vanillezucker einrieseln lassen. Eiweiße steif schlagen, dabei restlichem Zucker einarbeiten und den Schnee auf die Eigelbmasse geben.
2. Mehl, Pudding-, Kakao- und Backpulver darübersieben und mit dem Schneebesen unterziehen. Butter einrühren und den Teig in eine mit Backpapier ausgelegte rechteckige Form (28 x 23 x 4 cm) füllen. Etwa 40 Minuten backen und abkühlen lassen.
3. Tortenboden einmal quer durchschneiden. Unteren Boden mit Rum tränken und mit Nougat bestreichen. Böden wieder zusammensetzen und die Torte mit nach Packungsanweisung geschmolzener Kuvertüre überziehen. Mit Zuckerschrift verzieren.

# Mokkatorte

**Zubereitungszeit**
*ca. 1 Std.*
**Backzeit**
*ca. 45 Min.*

*4 Eier*
*200 g Zucker*
*100 g Mehl*
*100 g Speisestärke*
*2 TL Backpulver*
*5 EL Whisky*
*(ersatzweise Weinbrand)*
*4 Blätter weiße Gelatine*
*500 g Sahne*
*1 P. Sahnesteif*
*5 TL löslicher Kaffee*
*Kaffeebohnen zum Verzieren*

**So wird's gemacht**

1. Den Backofen auf 200 °C vorheizen. Die Eier zusammen mit 4 Eßlöffeln Wasser schaumig schlagen. Dabei 150 g Zucker einrieseln lassen und die Masse so lange rühren, bis sie eine cremige Konsistenz hat. Mehl, Speisestärke und Backpulver mischen, dazusieben und mit dem Schneebesen locker unterheben.

2. Die Masse in eine am Boden mit Backpapier belegte Springform (26 cm Ø) füllen, glattstreichen und etwa 45 Minuten backen. Aus der Form lösen und abkühlen lassen.

3. Den Whisky mit 4 Eßlöffeln Zucker verrühren. Gelatine in Wasser einweichen, ausdrücken, erhitzen und auflösen. Unter die Whiskyflüssigkeit rühren und das Ganze kühl stellen.

4. Die Hälfte der Sahne steif schlagen. Sobald die Whiskyflüssigkeit zu gelieren beginnt Sahne unterziehen.

5. Den Tortenboden in 3 Böden teilen. Untersten Boden mit der Whiskysahne bestreichen und den zweiten Boden daraufsetzen.

6. Restliche Sahne zusammen mit Sahnesteif, restlichem Zucker und 2 Teelöffeln löslichem Kaffee steif schlagen. Ein Drittel der Kaffesahne auf den zweiten Boden streichen und den letzten Boden obenauf legen. Etwas Kaffeesahne zum Verzieren in einen Spritzbeutel füllen. Die Torte mit der restlichen Kaffesahne rundherum bestreichen und mit Sahnetupfern, restlichem Kaffeepulver und Kaffeebohnen verzieren.

# Walnußtorte

**Zubereitungszeit**
*ca. 1 Std.*
**Backzeit**
*ca. 45 Min.*

| |
| --- |
| *4 Eier* |
| *320 g Zucker* |
| *2 P. Vanillezucker* |
| *150 g Mehl* |
| *100 g Speisestärke* |
| *3 TL Backpulver* |
| *3–4 EL Zitronengelee* |
| *100 g Marzipanrohmasse* |
| *50 g Puderzucker* |
| *150 g gemahlene Walnüsse* |
| *500 g Sahne, 2 P. Sahnesteif* |
| ***Außerdem:*** |
| *100 g gemahlene Walnüsse* |
| *250 g Sahne* |
| *12 –16 Walnußhälften* |

**So wird's gemacht**

1. Den Backofen auf 175 °C vorheizen. Die Eier zusammen mit 4 Eßlöffeln Wasser schaumig schlagen. Dabei 300 g Zucker sowie 1 Päckchen Vanillezucker einrieseln lassen und die Masse so lange rühren, bis sie eine cremige Konsistenz hat. Mehl, Speisestärke und Backpulver mischen, dazusieben und mit dem Schneebesen locker unterheben.

2. Die Masse in eine am Boden mit Backpapier belegte Springform (26 cm Ø) füllen, glattstreichen und etwa 45 Minuten backen. Danach aus der Form lösen und abkühlen lassen. Den Tortenboden in 3 Böden teilen.

3. Unteren Boden dünn mit Zitronengelee bestreichen. Marzipanrohmasse mit Puderzucker verkneten, zwischen 2 Bögen Pergamentpapier in Kuchengröße ausrollen und auf den unteren Boden legen.

4. Walnüsse in einer beschichteten Pfanne ohne Fettzugabe rösten, dann erkalten lassen.

5. Sahne zusammen mit Sahnesteif, restlichem Vanillezucker und 1 Eßlöffel Zucker steif schlagen. Walnüsse unterziehen. Eine Schicht Walnußsahne auf das Marzipan streichen. Den zweiten Boden mit restlichem Gelee bestreichen und daraufsetzen.

6. Den zweiten Boden ebenfalls mit Walnußsahne bestreichen und mit dem dritten Boden abdecken. Die Torte rundherum mit Walnußsahne bestreichen und den Rand mit gemahlenen Walnüssen bestreuen. Restliche Sahne mit restlichem Zucker steif schlagen, in einen Spritzbeutel füllen und die Torte mit Sahnerosetten und Walnußhälften verzieren.

# Schwarzwälder Kirschtorte

**Zubereitungszeit**
*ca. 1 Std.*
**Zeit zum Kühlen**
*ca. 30 Min.*
**Backzeit**
*ca. 45 Min.*

**Für den Mürbeteig:**
*125 g Mehl*
*1 Msp. Backpulver*
*60 g Zucker*
*1 cl Kirschwasser*
*75 g zimmerwarme Butter*
*Fett für die Form*
**Für den Biskuitteig:**
*4 Eier*
*100 g Zucker*
*75 g Mehl*
*3 EL Speisestärke*
*1 EL Kakaopulver*
*1/2 TL Backpulver*
**Außerdem:**
*3 EL Johannisbeergelee*
*1 cl Kirschwasser*
*100 g Marzipanrohmasse*
*50 g Puderzucker*
**Für die Füllung:**
*750 g entsteinte Sauerkirschen*
*(aus dem Glas)*
*3 EL Speisestärke*
*3–5 EL Zucker*
*1 cl Kirschwasser*
*500 g Sahne*
*50 g Puderzucker*
*1 P. Vanillezucker*
*2 P. Sahnesteif*
**Zum Verzieren:**
*rote Belegkirschen*
*(z.B. von Schwartau)*
*Schokoladenraspel*

## So wird's gemacht
1. Alle Zutaten für den Mürbeteig in eine Schüssel geben und rasch zu einem glatten Teig verarbeiten. In Alufolie wickeln und für 30 Minuten kühl stellen. Den Backofen auf 200 °C vorheizen und eine Springform (28 cm Ø) am Boden fetten. Den Teig darauf ausrollen, mit einer Gabel mehrmals einstechen und etwa 15 Minuten backen.
2. Für den Biskuitteig die Eier zusammen mit 4 Eßlöffeln Wasser schaumig schlagen. Dabei den Zucker einrieseln lassen und die Masse so lange rühren, bis sie eine cremige Konsistenz hat. Mehl, Speisestärke, Kakao- sowie Backpulver mischen, dazusieben und mit dem Schneebesen locker unterheben.
3. Die Masse in eine am Boden mit Backpapier belegte Springform (28 cm Ø) füllen, glattstreichen und bei 175 °C etwa 30 Minuten backen. Danach aus der Form lösen und abkühlen lassen. Den Tortenboden in 2 Böden teilen.
4. Johannisbeergelee mit Kirschwasser glattrühren und den Mürbeteigboden damit bestreichen. Marzipanrohmasse mit Puderzucker verkneten, zwischen 2 Bögen Pergamentpapier in Kuchengröße ausrollen, auf das Gelee legen und leicht andrücken. Den ersten Biskuitboden auf das Marzipan legen.
5. Die Sauerkirschen abtropfen lassen, dabei den Saft auffangen. Saft zusammen mit Speisestärke aufkochen lassen, Zucker sowie Kirschwasser einrühren und die Masse abkühlen lassen. Dann auf den Biskuitboden streichen, den zweiten Boden darauflegen und leicht andrücken.
6. Sahne zusammen mit Puderzucker und Sahnesteif steif schlagen. Die Hälfte davon auf den zweiten Boden streichen, den dritten Boden auflegen. Die Torte rundherum mit Sahne bestreichen, einen kleinen Rest für die Verzierung zurückbehalten. Tortenrand mit Schokoladenraspeln bestreuen. Tortenoberfläche mit Sahnetupfern, Belegkirschen und Schokoladenraspeln verzieren.

*(auf dem Foto oben)*

# Mohntorte

**Zubereitungszeit**
*ca. 40 Min.*
**Backzeit**
*ca. 40 Min.*

*5 Eigelb*
*150 g Zucker*
*1 Prise Salz*
*180 g Buchweizenmehl*
*1 EL Speisestärke*
*1 EL Kakaopulver*
*1 Btl. Mohn-back (z.B. von Schwartau)*
*5 Eiweiß*
*750 g Sahne*
*2 P. Sahnesteif*
*450 g Preiselbeeren (aus dem Glas)*
*3 EL gehackte Pistazien*

## So wird's gemacht
1. Backofen auf 180 °C vorheizen. Eigelbe zusammen mit 5 Eßlöffeln Wasser schaumig rühren. Dabei Zucker und Salz einrieseln lassen. Mehl, Speisestärke sowie Kakaopulver mischen, dazusieben und mit dem Schneebesen locker unterheben. Mohnback unterrühren. Eiweiße steif schlagen und vorsichtig unterziehen.
2. Die Masse in eine am Boden mit Backpapier belegte Springform (26 cm Ø) füllen, glattstreichen und etwa 40 Minuten backen. Danach aus der Form lösen und abkühlen lassen. Den Tortenboden in 3 Böden teilen.
3. Die Sahne zusammen mit Sahnesteif steif schlagen. Für die Füllung zwei Drittel der Sahne mit den Preiselbeeren vermischen, dabei Preiselbeeren für die Verzierung zurückbehalten. Die Torte mit der Preiselbeersahne füllen und rundherum mit der restlichen Sahne bestreichen. Restliche Sahne in einen Spritzbeutel füllen. Mit Sahneringen, restlichen Preiselbeeren und Pistazien verzieren.

*(auf dem Foto unten)*

# Mandel-Marzipan-Torte

**Zubereitungszeit**
*ca. 1 Std.*
**Backzeit**
*ca. 1 Std.*
**Zeit zum Kühlen**
*ca. 1 Std.*

*10 Eier, 320 g Zucker*
*450 g gemahlene Mandeln*
*1 Msp. Zimtpulver*
*1 P. Vanillezucker*
*1 Btl. Citro-back*
*(z.B. von Schwartau*
*2 EL Paniermehl*
*6 EL Amaretto (ital. Mandellikör)*
*5 Blätter weiße Gelatine*
*250 g Sahne*
*300 g Marzipanrohmasse*
*150 g Puderzucker*
*1 EL Kakaopulver*

**Außerdem:**
*Schokoladenblättchen*
*Puderzucker zum Bestäuben*
*Schoko-Dekor-Herzen*

**So wird's gemacht**
1. Den Backofen auf 180 °C vorheizen. Eier trennen, Eigelbe zusammen mit 300 g Zucker schaumig schlagen, bis sich der Zucker ganz aufgelöst hat. Eiweiße steif schlagen und zusammen mit Zimt, 350 g Mandeln, Vanillezucker, Citro-back sowie Paniermehl unter die Masse ziehen.
2. Die Masse in eine mit Backpapier ausgelegte Springform (26 cm Ø) füllen, glattstreichen und im Ofen etwa 1 Stunde backen. Falls die Oberfläche zu dunkel wird, mit Alufolie abdecken. Aus der Form nehmen, Papier entfernen und auskühlen lassen. In 3 Böden teilen und die beiden unteren Böden mit je 2 Eßlöffeln Amaretto tränken.
3. Gelatine einweichen, ausdrücken, erhitzen und auflösen. Die Sahne steif schlagen, dabei restliche Mandeln, restlichen Zucker sowie restlichen Amaretto hinzufügen. Gelatine unter die Sahne ziehen und die beiden unteren Böden gleichmäßig mit der Mischung bestreichen. Alle Böden aufeinandersetzen und das Ganze für 1 Stunde kühl stellen.
4. Marzipanrohmasse mit Puderzucker verkneten, ein Drittel mit Kakaopulver färben. Weißes Marzipan zwischen 2 Bögen Pergamentpapier ausrollen und die Torte damit einkleiden. Braunes Marzipan ausrollen und 2 Kreise von 20 cm Ø ausschneiden. Kreise wellenförmig in die Mitte legen, mit Schokoladenblättchen bestreuen und mit Puderzucker bestäuben. Tortenrand mit Schoko-Dekor-Herzen verzieren.

# Liebestorte

**Zubereitungszeit**
*ca. 1 Std.*
**Backzeit**
*ca. 1 Std. 20 Min.*

### Für den Tortenboden:

*140 g Butterschmalz (z.B. von Butaris)*

*180 g Zucker, 300 g Mehl*

*4 Eier, 1 cl Orangenlikör*

*Fett für die Formen*

### Für das Herz:

*70 g Butterschmalz*

*2 Eier, 150 g Mehl*

*90 g Zucker, 1 Btl. Citro-back*

### Außerdem:

*500 g Puderzucker*

*1 P. rote Speisefarbe*

*3 Blätter weiße Gelatine*

*200 g geschlagene Sahne*

*150 g pürierte Erdbeeren*

*80 g Marzipanrohmasse*

*Schokoladenblätter*

*50 g gehackte Pistazien*

### So wird's gemacht

1. Backofen auf 180 °C vorheizen. Zutaten für den Boden verrühren und in eine gefettete Springform füllen. 50 Minuten backen und in 2 Böden teilen. Zutaten für das Herz verrühren, in einer gefetteten Herzform bei 180 °C 30 Minuten backen.

2. 400 g Puderzucker mit 10 Eßlöffeln heißem Wasser verrühren. Masse halbieren und mit Speisefarbe einmal zartrosa und einmal rot färben. Gelatine einweichen. Sahne mit Erdbeerpüree mischen. Gelatine auflösen, unterziehen und unteren Boden mit Füllung bestreichen. Zweiten Boden daraufsetzen. Torte mit rosa, Herz mit rotem Guß überziehen und daraufsetzen.

3. Marzipan mit restlichem Puderzucker verkneten, daraus Rosen formen und auf das Herz setzen. Schokoladenblätter um die Rosen legen und Herzrand mit Pistazien bestreuen.

# Muttertagstorte

**Zubereitungszeit**
*ca. 1 Std.*
**Zeit zum Kühlen**
*ca. 2 Std.*

| |
|---|
| *3 dunkle Wiener Biskuitböden* |
| *(Fertigprodukt)* |
| *225 g Himbeerkonfitüre* |
| *200 g Sahne* |
| *1 P. Sahnesteif* |
| *1 P. Vanillezucker* |
| *3 EL geriebene, weiße Schokolade* |
| *500 g Erdbeeren* |
| **Zum Verzieren:** |
| *rosa und grüne Marzipan-* |
| *modelliermasse* |
| *Puderzucker zum Bestäuben* |
| *Zuckerherzen* |

**So wird's gemacht**

1. Die Böden nebeneinander auf Backpapier legen. Die Konfitüre durch ein Sieb in einen Topf streichen und unter Rühren aufkochen lassen. Eventuell etwas Wasser hinzufügen. Die Tortenböden gleichmäßig mit heißer Konfitüre bestreichen.
2. Sahne zusammen mit Sahnesteif und Vanillezucker steif schlagen. Weiße Schokolade locker unterziehen. Die Masse in einen Spritzbeutel füllen und auf zwei der Böden einen dicken Rand spritzen. Die Innenfläche der Böden gitterförmig mit der restlichen Sahne bedecken, dabei etwa 3 Eßlöffel Sahne für die Verzierung zurückbehalten.
3. Erdbeeren waschen, putzen, halbieren und die Früchte in die Lücken der Gitter setzen. Belegte Böden übereinander setzen, den dritten Boden auflegen und die Torte für etwa 2 Stunden kühl stellen.
4. Aus der Marzipanmodelliermasse mit Ausstechförmchen Herzen in unterschiedlicher Größe ausstechen. Die Torte mit Puderzucker bestäuben und mit Marzipanherzen verzieren. Mit der restlichen Sahne die Torte beschriften und dekorieren.

## Variation

Anstelle der Erdbeeren können Sie auch Pfirsichhälften aus der Dose verwenden. Ersetzen Sie dann die Himbeer- durch Aprikosenkonfitüre.

# Blumenkorbtorte

**Zubereitungszeit**
ca. 1 Std.
**Backzeit**
ca. 1 Std. 15 Min.

**Für den Tortenboden:**
130 g Butterschmalz (z.B. von Butaris)
100 g Zucker
1 EL Milch, 3 Eier
225 g Mehl
1¹/₂ TL Backpulver
1 P. Citro-back

**Für den Korb:**
65 g Butterschmalz
50 g Zucker
¹/₂ l Milch
110 g Mehl, 1 Ei
¹/₂ TL Backpulver

**Außerdem:**
Fett für die Form und für das Blech
6 Blätter weiße Gelatine
500 g Sahne

50 g gehackte Pistazien
350 g Puderzucker
1 P. Vanillezucker
7 EL Pfefferminzlikör
1 P. grüne Speisefarbe
Zuckerblümchen
Schoko-Dekor-Blätter

**So wird's gemacht**
1. Backofen auf 180 °C vorheizen. Die Zutaten für den Tortenboden verrühren, in eine gefettete Springform (26 cm Ø) füllen und etwa 50 Minuten backen. Aus der Form lösen, abkühlen lassen und in 2 Böden teilen. Zutaten für den Korb ebenfalls verrühren, auf ein gefettetes Blech streichen und bei 180 °C 25 Minuten backen. Blech stürzen, Teig abkühlen lassen und mit Hilfe einer vorgeschnittenen Pappschablone einen Korb ausschneiden.
2. Gelatine einweichen. Sahne steif schlagen, dabei 4 Eßlöffel Puder-

zucker einrieseln lassen. Pistazien, Vanillezucker und 4 Eßlöffel Pfefferminzlikör unter die Sahne ziehen. Gelatine ausdrücken, erhitzen, auflösen und unterrühren. Die Sahnefüllung auf den unteren Boden streichen und den zweiten Boden daraufsetzen.
3. Etwa 200 g Puderzucker mit restlichem Pfefferminzlikör und 1 Eßlöffel heißem Wasser glattrühren. Die Torte mit der Glasur überziehen und diese trocknen lassen. Den Korb ebenfalls mit Glasur überziehen und auf die Torte setzen.
4. Speisefarbe mit restlichem Puderzucker und 2 Eßlöffeln heißem Wasser verrühren. Masse in einen Spritzbeutel füllen und die Torte damit beschriften. Den Korb mit Zuckerblümchen und Schoko-Dekor-Blättern verzieren.

# Orangencremetorte

**Zubereitungszeit**
*ca. 1 Std.*
**Backzeit**
*ca. 30 Min.*
**Zeit zum Kühlen**
*ca. 1 Std.*

**Für den Teig:**
*Butter und Mehl für die Form*
*6 Eier*
*200 g Zucker*
*1 P. Vanillezucker*
*1 Msp. Salz*
*125 g Mehl*
*75 g Speisestärke*
*75 g Butter*
**Für die Creme:**
*300 ml Milch*
*abgeriebene Schale einer*
*unbehandelten Orange*
*3 Eigelb*
*100 g Zucker*
*1 EL Mehl*
*100 g Butter*
**Außerdem:**
*4 cl Orangenlikör*
**Zum Verzieren:**
*2 unbehandelte Orangen*
*100 g Apfelgelee*
*100 g Brombeeren*

**So wird's gemacht**

1. Den Backofen auf 210 °C vorheizen. Eine Springform (24 cm Ø) mit Butter ausstreichen und mit Mehl ausstreuen.
2. Die Eier trennen. Eigelbe zusammen mit 6 Eßlöffeln Wasser schaumig schlagen, dabei zwei Drittel des Zuckers sowie Vanillezucker einrieseln lassen. Die Masse so lange schlagen, bis sie eine cremige Konsistenz hat.
3. Die Eiweiße zusammen mit dem Salz steif schlagen. Sobald der Eischnee halbfest ist, den restlichen Zucker einrieseln lassen und den Schnee schnittfest schlagen. Den Eischnee auf die Eigelbmasse geben.

4. Mehl mit Speisestärke vermischen, über den Eischnee sieben und vorsichtig mit einem Schneebesen unterziehen. Die Butter erhitzen, schmelzen, kurz abkühlen lassen und unter den Teig ziehen.
5. Die Masse in die Springform füllen, glattstreichen und im Ofen etwa 30 Minuten backen. Kurz vor Ende der Backzeit sicherheitshalber eine Stäbchenprobe machen. Den Tortenboden aus der Form lösen, auf einem Kuchengitter abkühlen lassen und in 2 Böden teilen.
6. Für die Creme die Milch zusammen mit dem Orangenschalenabrieb zum Kochen bringen. Eigelbe in einer Tasse mit Zucker und Mehl verrühren und die Masse mit einem Schneebesen unter die Milch rühren. Die Hitze reduzieren und die Creme etwas einkochen lassen.
7. Den Topf vom Herd nehmen, die Butter einrühren. Dann die Creme in zwei Portionen teilen und abkühlen lassen.
8. Die beiden Tortenböden mit jeweils 2 cl Orangenlikör beträufeln. Den unteren Boden gleichmäßig mit der Orangencreme bestreichen und den zweiten Boden daraufsetzen. Die Torte rundherum mit der restlichen Creme bestreichen und kurz in den Kühlschrank stellen.
9. Die Orangen heiß abwaschen, abtrocknen und in hauchdünne Scheiben schneiden. Das Apfelgelee erhitzen und unter Rühren auflösen. Die Brombeeren kurz waschen und trockentupfen. Die Torte kreisförmig mit Orangenscheiben belegen. Das flüssige Gelee auf den Orangenscheiben verstreichen und die Torte mit Brombeeren verzieren. Vor dem Servieren für etwa 1 Stunde in den Kühlschrank stellen.

## Tip

Achten Sie beim Zusammensetzen von gefüllten Torten darauf, daß Sie den obersten Teigboden immer mit der Oberseite nach unten auf die übrigen Böden setzen, damit die Tortenoberfläche eben ist. Sie können den Biskuit aber auch nach dem Backen auf ein mit Mehl bestäubtes Backblech stürzen, den Kuchen abkühlen lassen und dann wieder umdrehen. Durch das Stürzen werden eventuelle Wölbungen, die beim Backen entstanden sind, wieder ausgeglichen. Zudem kann der Kuchen, falls Sie ihn länger ruhen lassen, dann nicht austrocknen.

## Variation

Ebenso fein und noch frischer schmeckt die Torte, wenn Sie anstelle von Orangen Limonen oder Zitronen verwenden. Ersetzen Sie dann den Orangen- durch Zitronenlikör und nehmen Sie für die Creme die abgeriebene Schale von 2 unbehandelten Limonen oder Zitronen.

# Zitronen-Marzipan-Torte

**Zubereitungszeit**
*ca. 1 Std.*
**Backzeit**
*ca. 40 Min.*
**Zeit zum Kühlen**
*ca. 1 Std.*

**Für den Teig:**
*4 Eier, 200 g Zucker*
*abgeriebene Schale einer*
*unbehandelten Zitrone*
*200 g Mehl*
*1 TL Backpulver*
*200 g Butterschmalz*
**Für die Füllung:**
*5 Eier, 150 g Butterschmalz*
*150 g Zucker*
*Saft von 5 Zitronen*
**Zum Verzieren:**
*200 g Marzipanrohmasse*

*100 g Puderzucker*
*1 P. Schokoladenglasur*
*250 g Sahne*
*2 unbehandelte Zitronen*

**So wird's gemacht**
1. Den Backofen auf 190 °C vorheizen. Die Teigzutaten verrühren, den Teig in eine mit Backpapier ausgelegte Springform (26 cm Ø) füllen, glattstreichen und etwa 40 Minuten backen. Den Kuchen aus der Form lösen, abkühlen lassen und in 3 Böden teilen.
2. Eier zusammen mit Butterschmalz, Zucker und Zitronensaft in einen Topf geben und unter Rühren erhitzen. Einmal aufkochen, dann ganz abkühlen lassen. Die Hälfte der Füllung auf den unteren Boden streichen, den zweiten daraufsetzen und die Torte mit der restlichen Füllung rundherum bestreichen. Torte in den Kühlschrank geben.
3. Marzipanrohmasse mit Puderzucker verkneten und zwischen 2 Bögen Pergamentpapier ausrollen. Den Ring einer Springform auf das Marzipan legen. Überschüssiges Marzipan abschneiden und anderweitig verwenden. Schokoladenglasur nach Packungsanweisung auflösen, über das Marzipan gießen und erstarren lassen. Das Ganze dann in 16 Stücke schneiden.
4. Sahne steif schlagen, 4 Eßlöffel davon auf der Torte verstreichen, den Rest in einen Spritzbeutel füllen. 16 große Sahnetupfer in gleichmäßigen Abständen auf die Torte spritzen. Die Schoko-Marzipan-Stücke leicht überlappend auf die Sahnetupfer setzen. Zitronen schälen, in dünne Scheiben schneiden und die Torte damit verzieren. Vor dem Servieren für 1 Stunde kühl stellen.

# Sharon-Sahne-Torte

**Zubereitungszeit**
*ca. 30 Min.*
**Backzeit**
*ca. 15 Min.*
**Zeit zum Kühlen**
*ca. 3 Std.*

**Für den Teig:**

*2 Eier*
*60 g Zucker*
*40 g Mehl*
*2 EL Speisestärke*
**Außerdem:**
*4 Eigelbe*
*250 g Zucker*
*2 EL Rum*
*4 Sharonfrüchte (Kakifrüchte)*
*12 Blätter weiße Gelatine*
*400 g Sahne*
*500 g Magerquark*
*1 EL gehackte Pistazien*

**So wird's gemacht**

1. Backofen auf 180 °C vorheizen. Aus den Teigzutaten einen Biskuitteig nach Rezeptanweisung von Seite 21 herstellen. In eine mit Backpapier ausgelegte Springform (26 cm Ø) füllen und 15 Minuten backen. In der Form abkühlen lassen.

2. Eigelbe mit Zucker und Rum verrühren. 2 Sharonfrüchte schälen, vom Stielansatz befreien, Fruchtfleisch pürieren und durch ein Sieb streichen. Gelatine einweichen. Quark und Fruchtpüree unter die Eimasse heben. Gelatine ausdrücken, erhitzen, auflösen und unterrühren. Sahne unterheben und die Creme in die Springform füllen. Torte für 3 Stunden kühl stellen.

3. Mit einem Messer vom Rand lösen und auf eine Tortenplatte setzen. Restliche Sharonfrüchte waschen, längs halbieren und jeweils in Scheiben schneiden. Torte rosettenförmig mit Fruchtscheiben belegen und mit Pistazien bestreuen.

# Käse-Sahne-Torte

**Zubereitungszeit**
*ca. 30 Min.*
**Backzeit**
*ca. 25 Min.*
**Zeit zum Kühlen**
*über Nacht*

**Für den Teig:**

2 Eier
100 g Zucker
1 Btl. Citro-back
1 Prise Salz
75 g Mehl
5 EL Speisestärke
1 TL Backpulver

**Für die Füllung:**

3 Eier, 250 g Zucker
1 Btl. Kirschwasser-back
(z.B. von Schwartau)
500 g Quark (40 % Fett)
8 Blätter weiße Gelatine
500 g Sahne

**Außerdem:**

50 g gehackte Pistazien
150 g weiße Kuvertüre
Rosenblätter

**So wird's gemacht**
1. Backofen auf 180 °C vorheizen. Aus den Teigzutaten einen Biskuitteig nach Rezeptanweisung von Seite 21 herstellen. In eine mit Backpapier ausgelegte Springform (28 cm Ø) füllen und 25 Minuten backen. Aus der Form lösen, abkühlen lassen und in 2 Böden teilen.
2. Für die Füllung Eier trennen. Eigelbe zusammen mit 2 Eßlöffeln Wasser schaumig schlagen, dabei den Zucker einrieseln lassen. Kirschwasser-back und Quark einrühren. Gelatine nach Packungsanweisung auflösen und darunterziehen. Masse kühl stellen. Eiweiße und Sahne getrennt steif schlagen und beides unter die Quarkmasse ziehen.
3. Einen Boden in die Springform legen, Backpapier etwa 2 cm höher als Tortenring zuschneiden und den Rand der Springform damit auslegen. Quarkmasse einfüllen und glattstreichen. Zweiten Boden auflegen, leicht andrücken und die Torte über Nacht kühl stellen.
4. Tortenring und Papier entfernen. Tortenrand mit Pistazien bestreuen. Kuvertüre nach Packungsanweisung auflösen. Einige echte Rosenblätter hineintauchen und abkühlen lassen. Restliche Kuvertüre auf ein Blech streichen und erstarren lassen. Mit einem Küchenspachtel weiße Späne daraus machen. Torte mit Spänen und Rosenblättern verzieren.

# Marmorierte Torte

**Zubereitungszeit**
*ca. 45 Min.*
**Backzeit**
*ca. 15 Min.*
**Zeit zum Kühlen**
*ca. 3 Std.*

*Mürbeteig (Rezept siehe Seite 19)*
*Fett für die Form*
***Für die Füllung:***
*150 g zimmerwarme Butter*
*200 g Zucker*
*4 Eier, 500 g Magerquark*
*Saft von 1 Zitrone*
*1 Btl. Citro-back (z.B. von Schwartau)*
*15 Blätter weiße Gelatine*
*250 g Sahne*
*100 g kandierte Früchte*
***Außerdem:***
*6 Blätter weiße Gelatine*
*je 200 ml Vanille-, Erdbeer und*
*Wildbeerensauce (Fertigprodukt)*

**So wird's gemacht**

1. Aus den Teigzutaten einen Mürbeteig nach Rezeptanweisung auf Seite 19 herstellen. Diesen in Alufolie wickeln und für 30 Minuten kühl stellen.
2. Backofen auf 190 °C vorheizen. Teig ausrollen, in eine gefettete Springform (26 cm Ø) geben, mit einer Gabel mehrmals einstechen und etwa 15 Minuten backen. In der Form abkühlen lassen.
3. Für die Füllung Butter zusammen mit Zucker und Eiern schaumig schlagen. Quark, Zitronensaft sowie Citro-back hinzufügen und das Ganze gut verrühren. Gelatine nach Packungsanweisung auflösen und unterrühren.
4. Sahne steif schlagen und zusammen mit den kandierten Früchten unter die Quarkmasse ziehen. Die Füllung auf den Tortenboden in der Springform füllen, glattstreichen und die

Torte im Kühlschrank in etwa 2 Stunden fest werden lassen.
5. Gelatine nach Packungsanweisung auflösen und in 3 Portionen teilen. Die Saucen jeweils in eine Schüssel geben, jeweils mit 1 Portion Gelatine verrühren und sofort in großen Klecksen auf der Torte verteilen.
6. Mit einem Holzlöffelstiel Schlangenlinien durchziehen, bis ein Marmormuster entsteht. Torte nochmals für 30 Minuten kühl stellen und dann aus der Form lösen.

# Himbeer-Joghurt-Torte

**Zubereitungszeit**
*ca. 45 Min.*
**Backzeit**
*ca. 30 Min.*
**Zeit zum Kühlen**
*ca. 1 Std.*

*Biskuitteig (siehe Rezept Seite 21)*
**Für die Füllung:**
*8 Blatt weiße Gelatine*
*1/4 l Milch, 210 g Zucker*
*4 Eigelb*
*500 g Sahnejoghurt*
*250 g Himbeeren*
*2 cl Himbeergeist*
*375 g Sahne*
*Saft von 1 Zitrone*
**Zum Verzieren:**
*250 g Sahne*
*1 EL Zucker*

*50 g gehobelte, geröstete Mandeln*
*16 Himbeeren*

**So wird's gemacht**
1. Den Backofen auf 180 °C vorheizen. Einen Biskuitteig nach Rezeptanweisung auf Seite 19 zubereiten. In eine mit Backpapier ausgelegte Springform (26 cm Ø) füllen, glattstreichen und etwa 30 Minuten backen. Aus der Form lösen, abkühlen lassen, in 2 Böden teilen und den unteren Boden in die Form geben.
2. Für die Füllung Gelatine einweichen. Milch zusammen mit 180 g Zucker und Eigelben unter ständigem Rühren erhitzen. Einmal aufkochen lassen, Gelatine ausdrücken, hinzufügen und in der Masse auflösen. Kurz abkühlen lassen und dann den Joghurt unterrühren. Masse halbieren und jede Portion in eine große Schüssel geben.

3. Himbeeren verlesen, kurz waschen und pürieren. Zusammen mit dem Himbeergeist unter 1 Portion Creme rühren. Sahne zusammen mit restlichem Zucker steif schlagen. Die Hälfte davon mit der Himbeercreme verrühren, die Masse auf den unteren Boden streichen und im Kühlschrank fest werden lassen.
4. Den anderen Teil der Creme mit dem Zitronensaft verrühren, dann die restliche Sahne unterziehen. Auf die Himbeercreme streichen und mit dem zweiten Boden bedecken. Torte für 1 Stunde in den Kühlschrank stellen.
5. Tortenring entfernen. Sahne für die Verzierung zusammen mit Zucker steif schlagen. Torte mit der Hälfte der Sahne rundherum bestreichen. Mit Mandeln bestreuen. Restliche Sahne in einen Spritzbeutel füllen und die Torte mit Sahnerosetten und Himbeeren verzieren.

# Schoko-Quark-Torte

**Zubereitungszeit**
*ca. 45 Min.*
**Zeit zum Kühlen**
*ca. 3 Std.*

*2 dunkle Wiener Böden*
*500 g Magerquark*
*abgeriebene Schale von*
*1/2 unbehandelten Zitrone*
*3 EL Zitronensaft*
*50 g Speisestärke*
*(z.B. von Mondamin)*
*2 Eigelb, 1/2 l Milch*
*50 g Zucker, 2 TL Vanillezucker*
*6 Blätter weiße Gelatine*
*2 steifgeschlagene Eiweiß*

***Außerdem:***
*2 Blätter weiße Gelatine*
*200 g pürierte Erdbeeren*
*50 g Zartbitterschokolade*
*200 g Erdbeerhälften*
*2 EL Puderzucker*

**So wird's gemacht**

1. Einen Boden in eine Springform
   (26 cm Ø) geben. Quark, Zitronenschale und -saft verrühren. Speisestärke mit Eigelben und 4 Eßlöffeln
   Milch glattrühren. Restliche Milch
   zusammen mit Zucker und Vanillezucker aufkochen und Speisestärke
   dazugeben. Gelatine auflösen und
   unterrühren. Abkühlen lassen, Eischnee und Masse unterheben.

2. Gelatine nach Packungsanweisung
   auflösen und zusammen mit 5 Eßlöffeln Quarkcreme unter das Erdbeerpüree ziehen. Quark- und Erd-
   beercreme im Kühlschrank halbfest
   werden lassen, dann abwechselnd
   auf den Boden streichen. Zweiten
   Boden darübergeben, Torte für
   3 Stunden kühl stellen.

3. Schokolade im Wasserbad schmel-
   zen. Erdbeerhälften halb hineintau-
   chen und erkalten lassen. Torte mit
   Puderzucker bestäuben und mit
   Schoko-Erdbeeren sowie restlichen
   Erdbeeren verzieren.

# Backen zu Fasching und Ostern

Diese beiden Termine im Jahr entstanden zwar aus verschiedenen Gründen; der Fasching ist dazu da, die „Geister des Winters" zu vertreiben und somit heidnischen Ursprungs und Ostern ist ein christliches Fest; Anlässe zum geselligen Beisammensein liefern aber beide. In diesem Kapitel finden Sie sowohl kleine, aber feine Teilchen, die Sie Ihren Gästen für zwischendurch servieren können, als auch aufwendige Torten, die Ihre Ostertafel krönen können.

# Bunter Berliner

*Für etwa 16 Stück*
**Zubereitungszeit**
*ca. 50 Min.*
**Zeit zum Gehen**
*ca. 1 Std. 10 Min.*

**Für den Teig:**
*500 g Mehl, 75 g Zucker*
*abgeriebene Schale von 1/2 Zitrone*
*42 g Hefe (1 Würfel)*
*1/4 l lauwarme Milch*
*50 g Margarine (z.B. Sanella)*
*1 Ei, 1 Prise Salz*
*Mehl zum Ausrollen*
**Für die Füllung:**
*3 EL Aprikosenkonfitüre*
*100 g Marzipanrohmasse*
**Zum Ausbacken:**
*Fritierfett*
**Zum Glasieren:**
*200 g Puderzucker*
*Saft von 1 Zitrone*
**Zum Bestreuen:**
*Kokosraspel*
*gemahlene Pistazien*
*Zuckerperlen*

**So wird's gemacht**
1. Das Mehl in eine Schüssel sieben und in die Mitte eine Vertiefung hineindrücken. Zucker und Zitronenschalenabrieb in die Vertiefung geben. Die Hefe mit 6 Eßlöffeln Milch verrühren und in die Vertiefung gießen. Den Vorteig zugedeckt an einem warmen Ort etwa 10 Minuten gehen lassen.
2. Inzwischen die Margarine in der lauwarmen Milch auflösen. Ei und Salz hinzufügen und das Ganze gut verquirlen. Die Mischung zum Vorteig geben.
3. Nun das Mehl nach und nach vom Rand mit beiden Händen unter den Vorteig arbeiten, bis ein geschmeidiger Teig entsteht. Zugedeckt an einem warmen Ort  etwa 30 Minuten gehen lassen, bis der Teig sein Volumen verdoppelt hat.

4. Ein Backbrett mit Mehl bestäuben und den Teig darauf nochmals kräftig durchkneten. Dann etwa fingerdick ausrollen. Mit einem Ausstechförmchen 16 Kreise von etwa 8 cm Ø ausstechen. Diese mit einem Küchentuch bedecken und nochmals an einem warmen Ort 30 Minuten gehen lassen.
5. Für die Füllung die Aprikosenkonfitüre durch ein Sieb in einen Topf streichen, leicht erhitzen und dann mit der Marzipanrohmasse vermengen. Die Füllung in eine Tortenspritze geben.
6. Das Fritierfett in einem großen Topf oder in einer Friteuse auf 170 °C erhitzen. Die Berliner darin von beiden Seiten jeweils etwa 3 Minuten offen goldbraun ausbacken. Auf Küchenkrepp gut abtropfen lassen und dann mit Hilfe der Tortenspritze jeweils mit der Aprikosen-Marzipan-Masse füllen.
7. Den Puderzucker mit dem Zitronensaft glattrühren. Die Berliner damit an der Oberseite bestreichen und nach Belieben mit Kokosraspeln, Pistazien oder Zuckerperlen bestreuen. Frisch servieren.

*(auf dem Foto oben)*

## Tip

Für diese Zubereitungsart benötigen Sie unbedingt eine Tortenspritze, um die Berliner zu füllen. Mit einem Spritzbeutel können Sie nicht den nötigen Druck erzeugen, der erforderlich ist, um die Masse rasch in die Berliner zu füllen.

## Variation

Etwas zeitaufwendiger ist die Methode, die Berliner vor dem Ausbacken zu füllen. Hierfür drücken Sie die ausgestochenen Teigkreise etwas flach,

geben jeweils etwas Johannisbeer- oder Aprikosenmarmelade darauf und verschließen jeden Kreis zu einem Bällchen. Nochmals etwas nachrollen, damit die Berliner gleichmäßig rund werden und diese zugedeckt bis zum doppelten Volumen aufgehen lassen. Nacheinander mit der Oberseite nach unten in heißes Fritierfett geben und nach etwa 3 Minuten umdrehen. Auf Küchenkrepp abtropfen lassen und dann jeden Berliner mit der Ober- und Unterseite in Puderzucker tauchen.

# Muzen

*Für etwa 40 Stück*
**Zubereitungszeit**
*ca. 25 Min.*
**Backzeit**
*ca. 20 Min.*

*50 g Butterschmalz*
*40 g Zucker, 1 TL Vanillezucker*
*1/2 TL abgeriebe Schale einer*
*unbehandelten Zitrone*
*1 Prise Salz, 1 Ei*
*2 EL Rum, 250 g Mehl*
*Mehl zum Ausrollen*
*750 g Butterschmalz zum Fritieren*
*2 EL Puderzucker zum Bestäuben*

**So wird's gemacht**
1. Das Butterschmalz erhitzen, schmelzen und abkühlen lassen. Dann zusammen mit Zucker, Vanillezucker, Zitronenschalenabrieb, Salz, Ei und Rum schaumig rühren. Das Mehl dazusieben und unterrühren.
2. Den Teig auf einer bemehlten Arbeitsfläche 3 mm dick ausrollen und in 7 cm lange Rauten schneiden.
3. Das Butterschmalz in einem großen Topf auf 170 °C erhitzen und die Muzen darin portionsweise von beiden Seiten etwa 2 Minuten goldbraun ausbacken. Auf Küchenkrepp abtropfen lassen und mit Puderzucker bestäuben.

*(auf dem Foto unten)*

# Kirschbällchen

*Für etwa 25 Stück*
**Zubereitungszeit**
*ca. 45 Min.*

| 80 g zimmerwarme Butter |
| 75 Zucker |
| 5 Eier |
| abgeriebene Schale von |
| 1/2 unbehandelten Zitrone |
| 1 Prise Salz |
| 250 g Mehl |
| 1 TL Backpulver |
| 150 g zarte Haferflocken |
| (z.B. von Kölln) |
| Pflanzenöl zum Fritieren |
| 150 g Kirschmarmelade zum Füllen |
| **Außerdem:** |
| 100 g Zucker |
| 2 TL Zimtpulver |

**So wird's gemacht**

1. Butter zusammen mit Zucker und Eiern schaumig rühren, Zitronenschalenabrieb und Salz hinzufügen. Das Mehl mit dem Backpulver mischen, durchsieben und dann mit den Haferflocken vermengen. Diese Mischung unter ständigem Rühren löffelweise zur Eimasse geben.
2. Reichlich Öl in einem großen Topf oder in einer Friteuse auf 180 °C erhitzen. Aus dem Teig mit Hilfe von 2 Eßlöffeln kleine Bällchen abstechen und diese portionsweise (je nach Größe des Topfes/der Friteuse 6 bis 8 Stück) im Öl in 5 bis 6 Minuten goldbraun ausbacken.
3. Die Bällchen jeweils mit einem Schaumlöffel herausnehmen und auf Küchenkrepp abtropfen lassen. Die Marmelade glattrühren und einen Spritzbeutel mit einer langen, dünnen Tülle versehen.
4. Die Marmelade in den Spritzbeutel geben und jedes Bällchen mit etwa 1 Eßlöffel Marmelade füllen. Zucker und Zimt in einem tiefen Teller vermischen und die Bällchen jeweils darin wenden.

## Tip

Wenn die Kirschmarmelade zu fest, das heißt nicht spritzfähig ist, können Sie sie vor dem Füllen unter ständigem Rühren leicht erhitzen.

## Variation

Sehr fein schmecken die Bällchen auch mit einer Füllung aus Aprikosen- oder Himbeermarmelade.

# Pflaumenkrapfen

*Für etwa 12 Stück*
**Zubereitungszeit**
*ca. 25 Min.*
**Zeit zum Gehen**
*ca. 1 Std.*

### Für den Teig:

500 g Mehl , 25 g Zucker
abgeriebene Schale einer
unbehandelten Zitrone
42 g Hefe (1 Würfel)
200 ml lauwarme Milch
2 Eier, 1 Prise Salz
50 g Butterschmalz
100 g entsteinte Dörrpflaumen
100 g gehackte Haselnußkerne

### Außerdem:

125 g Pflaumenmus zum Füllen
1 kg Butterschmalz zum Fritieren
2 EL Puderzucker zum Bestäuben

### So wird's gemacht

1. Aus den angegebenen Zutaten einen
   Hefeteig nach Rezeptanweisung von
   Seite 23 herstellen. Zugedeckt bei
   Zimmertemperatur gehen lassen,
   bis sich sein Volumen verdoppelt
   hat. Dann Dörrpflaumen und Haselnüsse unterkneten.

2. Den Teig in 12 Stücke teilen. Jedes
   Stücke zu einem Kreis von etwa
   10 cm Ø auseinanderdrücken. Auf
   jedes Stück etwa 1 Teelöffel Pflaumenmus geben, den Teig darüber
   zusammendrücken. Auf einem bemehlten Blech 20 Minuten gehen
   lassen.

3. Butterschmalz in einem großen Topf
   auf 170 °C erhitzen und die Krapfen
   darin portionsweise von beiden
   Seiten jeweils etwa 4 Minuten goldbraun ausbacken. Auf Küchenkrepp
   abtropfen lassen und mit Puderzucker bestäuben.

# Spanische Mandeltörtchen

*Für etwa 26 Törtchen*
**Zubereitungszeit**
*ca. 40 Min.*
**Backzeit**
*ca. 20 Min.*

### Für die Makronenmasse:

2 Eiweiß

1 Prise Salz

125 g Zucker

200 g gemahlene Mandeln

4 Tropfen Bittermandelaroma

### Für den Biskuitteig:

4 Eier, 2 Eigelb

50 g Zucker

200 g kleingehackte
Marzipanrohmasse

1 Prise Salz

2 Msp. abgeriebene Schale einer
unbehandelten Zitrone

2 EL Zitronensaft

100 g Mehl

(z.B. von Aurora)

2 Msp. Backpulver

### Außerdem:

26 Papierbackförmchen (5 cm Ø)

2 EL Mandelblättchen

### So wird's gemacht

1. Für die Makronenmasse Eiweiße
   zusammen mit Salz steif schlagen,
   dabei den Zucker einrieseln lassen.
   So lange schlagen, bis eine cremige
   Masse entsteht. Mandeln und Bittermandelaroma unterheben.
2. Den Backofen auf 175 °C vorheizen. Für den Biskuitteig Eier zusammen mit Eigelben, Zucker und Marzipan in einer Schüssel schaumig
   schlagen. Salz und Zitronensaft sowie -schale unterrühren. Mehl mit
   Backpulver mischen, dazusieben
   und unterrühren. Den Teig mit
   einem Schneebesen aufschlagen.

3. Die Backförmchen auf ein Backblech
   stellen. Jeweils 2 Eßlöffel Teig in die
   Förmchen füllen, 1 gehäuften
   Teelöffel Makronenmasse daraufsetzen und jedes Törtchen mit Mandelblättchen bestreuen.
4. Die Törtchen im Ofen auf der mittleren Einschubleiste in etwa 20 Minuten goldbraun backen.

## Tip

Dazu paßt ein kräftiger Espresso oder
Cappuccino.

# Orangentörtchen

*Für etwa 12 Stück*
**Zubereitungszeit**
*ca. 25 Min.*
**Backzeit**
*ca. 20 Min.*

*3 Eier*
*150 g zimmerwarme Butter*
*125 g Zucker*
*100 g kernige Haferflocken*
*(z.B. von Kölln)*
*100 g Mehl*
*2 TL Backpulver*
*75 g gehackte Mandeln*
*4 unbehandelte Orangen*
**Außerdem:**
*12 Papierbackförmchen (6 cm Ø)*
*150 g Aprikosenmarmelade*

**So wird's gemacht**

1. Die Eier trennen. Eigelbe zusammen mit Butter und Zucker schaumig rühren. Haferflocken mit Mehl, Backpulver sowie Mandeln vermischen, hinzufügen und unterrühren. Die Eiweiße steif schlagen und den Eischnee vorsichtig mit einem Schneebesen unterziehen.
2. Den Backofen auf 180 °C vorheizen. Die Orangen heiß waschen, trockenreiben und von 2 Früchten die Schale dünn abreiben. Dabei darauf achten, daß das Weiße nicht mitabgerieben wird.
3. Die Früchte schälen und jeweils die Filets aus den weißen Trennwänden herauslösen. Die Filets von 2 Orangen kleinschneiden und zusammen mit dem Orangenschalenabrieb unter den Teig rühren.
4. Die Backförmchen auf ein Backblech stellen. In jedes Förmchen etwa 2 Eßlöffel Teig geben. Die Törtchen mit übrigen Orangenfilets belegen und auf der mittleren Einschubleiste etwa 20 Minuten backen.
5. Die Aprikosenmarmelade glattrühren und die noch warmen Törtchen jeweils damit bestreichen.

## Tip

Aromatisieren Sie den Teig zusätzlich mit 1 cl Orangenlikör, dann schmekken die Törtchen noch feiner.

## Variation

Sie können die Törtchen direkt nach dem Backen auch mit Orangenmarmelade anstatt mit Aprikosenmarmelade bestreichen. Dekorativ sieht es aus, wenn Sie die Törtchen mit gehobelten, in einer Pfanne ohne Fettzugabe gerösteten Mandeln bestreuen.

# Bunte Osternester

*Für etwa 6 Stück*
**Zubereitungszeit**
*ca. 30 Min.*
**Backzeit**
*ca. 15 Min.*

*150 g Magerquark, 6 EL Milch*
*6 EL Pflanzenöl*
*75 g Zucker*
*1 P. Vanillezucker, 1 Prise Salz*
*150 g feine Haferflocken*
*(z.B. von Kölln)*
*150 g Mehl, 1 P. Backpulver*
*Außerdem:*
*Fett für das Blech und für die Folie*
*1 Eigelb zum Bestreichen*
*6 gekochte und bunt gefärbte*
*Eier zum Verzieren*

### So wird's gemacht

1. Quark mit Milch, Öl, Zucker, Vanillezucker und Salz gut verrühren.
Haferflocken mit Mehl und Backpulver vermischen, hinzufügen und gründlich unterkneten.
2. Den Backofen auf 190 °C vorheizen. Aus dem Teig auf einer bemehlten Arbeitsfläche 12 fingerdicke, etwa 20 cm lange Rollen formen. Jeweils 2 Rollen umeinander schlingen und auf einem gefetteten Backblech zu Kränzchen legen.
3. Das Eigelb verquirlen und die Kränzchen damit bestreichen. Aus der Pappe einer aufgebrauchten Alufolie oder Küchenkrepp 6 Kreise mit etwa 3 cm Ø schneiden. Die Ringe mit an der Außenseite gefetteter Alufolie überziehen und jeweils in die Mitte der Kränzchen setzen.
4. Die Kränzchen auf der mittleren Einschubleiste etwa 15 Minuten backen. Anschließen die Ringe entfernen und jeweils ein buntes Ei in die Nester setzen.

## Tip

Diese hübsche Osterdekoration ist schnell gemacht. Die Zubereitung des Quark-Öl-Teiges ist zudem so unkompliziert, daß auch Kinder Ihre Eltern mit diesen bunten Nestern überraschen können. Die Nester enthalten so wenig Zucker, daß sie sowohl mit süßem als auch mit pikantem Belag gut schmecken.

# Fruchtiges Osternest

*Für etwa 20 Stück*
**Zubereitungszeit**
*ca. 40 Min.*
**Zeit zum Gehen**
*ca. 35 Min.*
**Backzeit**
*ca. 30 Min.*

| |
|---|
| *42 g Hefe (1 Würfel)* |
| *125 ml lauwarme Milch* |
| *80 g Zucker, 500 g Mehl* |
| *100 g geröstete Sonnenblumenkerne* |
| *200 g getrocknete, gewürfelte* |
| *Aprikosen, 1 P. Vanillezucker* |
| *80 g Butter, 2 Eier, 1 TL Salz* |
| ***Außerdem:*** |
| *Fett für das Blech* |
| *100 g Sonnenblumenkerne* |
| *2 EL flüssiger Honig* |
| *1 EL Sahne, 50 g Butter* |
| *bunt gefärbte Eier zum Verzieren* |

**So wird's gemacht**

1. Hefe mit Milch und 1 Teelöffel Zucker verrühren und den Vorteig 15 Minuten gehen lassen. Mehl dazusieben und restliche Teigzutaten hinzufügen. Das Ganze kräftig durcharbeiten und zu einem glatten Teig verkneten.

2. Den Teig in 20 Portionen teilen und diese in 3 gleich große Stücke teilen. Die Stücke jeweils zu etwa 70 cm langen Strängen rollen und zu einem Zopf flechten. Auf einem gefetteten Blech zu Kränzchen formen. Zugedeckt 20 Minuten gehen lassen. Backofen auf 180 °C vorheizen. Kränze hineingeben und 30 Minuten backen.

3. Sonnenblumenkerne zusammen mit Honig, Sahne und Butter so lange aufkochen lassen, bis die Masse hellbraun wird. Die Kränze 10 Minuten vor Ende der Backzeit damit bestreichen. Die Kränze jeweils mit bunt gefärbten Eiern verzieren.

# Nuß-Hefe-Kranz

**Zubereitungszeit**
*ca. 1 Std.*
**Zeit zum Gehen**
*ca. 1 Std.*
**Backzeit**
*ca. 30 Min.*

*Für den Teig:*
*170 ml Milch*
*330 g Mehl*
*15 g Hefe (1/3 Würfel)*
*1/2 TL Zucker*
*50 g Butter*
*1/2 TL Salz*
*1 verquirltes Ei*
*Mehl zum Ausrollen*
*Fett für die Form*
*1 Eigelb zum Bestreichen*
*Für die Füllung:*
*2–3 EL Aprikosenmarmelade*
*150 g gemahlene Haselnüsse*
*50 g Zucker*
*5 EL Sahne*
*50 g Sultaninen*
*Für die Glasur:*
*50 g Puderzucker*
*1 TL Zitronensaft*
*Mandelblättchen zum Bestreuen*

**So wird's gemacht**

1. Für den Teig die Milch lauwarm erhitzen. Das Mehl in eine Schüssel sieben und in die Mitte eine Vertiefung drücken. Die Hefe hineinbröckeln, Zucker sowie etwa 6 Eßlöffel Milch hinzufügen und die Mischung mit etwas Mehl verrühren, bis sich die Hefe gelöst hat. Den Vorteig mit Mehl bestäuben.
2. Butter in Flocken, Salz, Ei sowie restliche Milch dazugeben und alles zu einem glatten, festen Teig verkneten. Zugedeckt an einem warmen Ort 30 Minuten gehen lassen.
3. Auf einer bemehlten Arbeitsfläche etwa 3 mm dick zu einem Rechteck ausrollen und von der schmalen Seite her in 3 etwa 10 cm breite Streifen schneiden.

4. Die Marmelade unter Rühren erwärmen und die Teigstreifen damit bestreichen. Haselnüsse mit Zucker, Sahne und Sultaninen mischen. Die Masse auf die Teigstreifen geben und glattstreichen. Dabei jeweils etwa 1 cm Rand freilassen.
5. Die Teigränder jeweils mit Wasser bestreichen und die Streifen der Länge nach aufrollen. Die Nähte gut zusammendrücken.
6. Eine Ringform (26 cm Ø) ausfetten. Die 3 Rollen zu einem Zopf flechten, dabei sollten die Nähte der Rollen immer auf einer Seite des Zopfes liegen. Den Zopf in die Form legen und die beiden Enden gut zusammendrücken. Mit verquirltem Eigelb bestreichen.
7. Den Kranz nochmals etwa 30 Minuten an einem warmen Ort gehen lassen. Inzwischen den Ofen auf 200 °C vorheizen.
8. Den Kranz auf der mittleren Einschubleiste etwa 45 Minuten backen. Kurz abkühlen lassen, aus der Form nehmen und auf ein Kuchengitter setzen.
9. Für die Glasur Puderzucker mit Zitronensaft und 1 Eßlöffel Wasser verrühren. Den noch heißen Kranz damit bestreichen und mit Mandelblättchen bestreuen.

## Tip

Geben Sie in die Füllung noch zusätzlich 50 g gemahlene Walnüsse, dann schmeckt der Kranz nussiger. Nach Belieben können Sie auch etwas mehr Aprikosenmarmelade verwenden, um das Ganze saftiger werden zu lassen.

## Variationen

Diesen Hefekranz können Sie beliebig füllen, zum Beispiel mit einer Mischung aus Marzipanrohmasse, gemahlenen Haselnüssen oder Mandeln, Zucker und 2 Eigelben. Sehr fein schmeckt auch eine Füllung aus gemahlenen Walnüssen und Himbeerkonfitüre. Feinschmecker füllen den Kranz mit je 50 g Marzipanrohmasse, Aprikosenmarmelade, Rosinen und gehackten Mandeln. Sie können den Kranz auch wie einen Zopf zubereiten. Hierfür den Teig zu einem Rechteck von 35 x 40 cm ausrollen, mit Füllung bestreichen, dabei einen Rand von etwa 2 cm freilassen. Das Teigrechteck von der Längsseite her aufrollen. Die Rolle mit dem Teigende nach unten auf eine Arbeitsfläche legen. Mit einem scharfen Messer von oben nach unten auseinanderschneiden. Dabei darauf achten, daß exakt in der Mitte durchgeschnitten wird, da der Zopf sonst später ungleichmäßig aufgeht. Die beiden Teigstränge zu einem Zopf flechten. Diesen auf ein gefettetes Blech legen. Mit Eigelb bestreichen, 30 Minuten gehen lassen und anschließend bei 190 °C etwa 40 Minuten backen. Zu den Klassikern zählt auch der Mohnzopf oder -kranz. Für die Füllung kochen Sie 300 g gemahlenen Mohn zusammen mit etwa 200 ml Milch auf. Die Mischung vom Herd nehmen und 10 Minuten quellen lassen. Dann 4 Eßlöffel Speisestärke mit 5 Eßlöffeln Milch glattrühren, 1 Eigelb, 100 g Zucker und 3 Eßlöffel warme Butter dazugeben, das Ganze gut verrühren und zum Mohn geben. Die Mischung noch einmal kurz aufkochen und dann abkühlen lassen. Den Zopf oder Kranz mit der Mohnmasse füllen und anschließend etwa 1 Stunde bei 200 °C backen. Mit heißer Aprikosenmarmelade bestreichen und mit gehobelten Mandeln bestreuen.

# Aprikosen-Mandel-Pinzen

*Für etwa 8 Stück*
**Zubereitungszeit**
*ca. 25 Min.*
**Zeit zum Gehen**
*ca. 50 Min.*
**Backzeit**
*ca. 30 Min.*

*200 g getrocknete Aprikosen*
*4 EL Aprikosenlikör*
***Für den Teig:***
*500 g Mehl (z.B. von Aurora)*
*42 g Hefe (1 Würfel)*
*75 g Zucker*
*1/8 l lauwarme Milch*
*100 g zimmerwarme Butter*
*1 Prise Salz, 2 Eier*
*je Msp. Ingwerpulver und abgeriebe*
*Schale einer unbehandelten Zitrone*
*1/2 TL geriebener Anis*

*100 g Mandelstifte*
***Außerdem:***
*Butter für das Blech*
*1 verquirltes Eigelb zum Bestreichen*
*2 EL Hagelzucker zum Bestreuen*

**So wird's gemacht**

1. Die Aprikosen heiß waschen, trockentupfen, in feine Streifen schneiden und in einer Schüssel mit dem Aprikosenlikör mischen.
2. Das Mehl in eine Schüssel sieben und in die Mitte eine Vertiefung drücken. Die Hefe hineinbröckeln, Zucker sowie etwa 6 Eßlöffel Milch hinzufügen und die Mischung mit etwas Mehl verrühren, bis sich die Hefe gelöst hat.
3. Den Vorteig mit Mehl bestäuben, zudecken und an einem warmen Ort 15 Minuten gehen lassen. Restliche Milch, Butter, Salz, Eier sowie Gewürze dazugeben und alles zu einem glatten Teig verkneten.

4. Zum Schluß die Mandelstifte zusammen mit den Aprikosenstreifen einarbeiten. Zugedeckt an einem warmen Ort nochmals 20 Minuten gehen lassen.
5. Ein Blech mit Backpapier belegen und mit Butter bestreichen. Aus dem Teig 8 Kugeln formen, diese nochmals 15 Minuten gehen lassen. Inzwischen den Backofen auf 175 °C vorheizen.
6. Jede Kugel mit einer Küchenschere dreimal oben einschneiden. Die Pinzen mit Eigelb bestreichen, mit Hagelzucker bestreuen und auf der mittleren Einschubleiste 30 Minuten backen.

# Osterhase

*Für etwa 10 Stück*
**Zubereitungszeit**
*ca. 1 Std.*
**Backzeit**
*ca. 30 Min.*

**Für den Teig:**
250 g Butter, 200 g Zucker
1 P. Vanillezucker
1 Prise Salz, 6 Eier
400 g Mehl (z.B. von Aurora)
4 TL Backpulver, 3 EL Milch
**Außerdem:**
1 P. Vanillepuddingpulver
¹/₄ l Milch
370 g entsteinte Sauerkirschen
(aus dem Glas)
2 EL Speisestärke, 250 g Butter
100 g Zucker, 2 Eier
2 EL Kakaopulver
2 EL Kokosraspel
50 g Vollmilchkuvertüre
gefärbte Marzipanrohmasse
zum Verzieren

**So wird's gemacht**
1. Backofen auf 175 °C vorheizen. Alle Teigzutaten miteinander verrühren, den Teig auf ein mit Backpapier belegtes Blech streichen und 30 Minuten backen. Vanillepudding nach Packungsanweisung mit Milch zubereiten. Sauerkirschen abtropfen lassen, 4 Eßlöffel Saft abnehmen, mit Speisestärke verrühren, aufkochen und abkühlen lassen.
2. Butter und Zucker schaumig rühren, Eier, Pudding und Kakaopulver unterrühren. Mit einer Schablone aus dem Kuchen Hasen ausschneiden. Jeweils in 2 Böden teilen. Unteren Boden mit Saftmasse bestreichen, mit Kirschen belegen und den zweiten Boden daraufgeben.
3. Hasenoberfläche jeweils mit Creme bestreichen und mit Kokosraspeln, Kuvertüre und Marzipanrohmasse verzieren. Übrige Teigstücke ebenso füllen und verzieren.

# Rüblitorte

**Zubereitungszeit**
*ca. 50 Min.*
**Backzeit**
*ca. 1 Std.*

**Für den Teig:**

| |
|---|
| *100 g Butter, 250 Zucker* |
| *1 Btl. Citro-back (z.B. von Schwartau)* |
| *1 Prise Salz, 5 Eigelb* |
| *275 g feingeriebene Karotten* |
| *200 g gemahlene Haselnüsse* |
| *250 g Mehl, 1 P. Backpulver* |
| *2 cl Rum, 5 Eiweiß* |
| *1 Btl. Orange-back* |
| *100 g feingehackte Kuvertüre* |
| *Fett für die Form* |

**Zum Verzieren:**

| |
|---|
| *300 g Marzipanrohmasse* |
| *100 g Puderzucker* |
| *je 1 P. rote, gelbe und grüne Speisefarbe* |
| *1 P. Zitronenglasur* |

**So wird's gemacht**

1. Backofen auf 180 °C vorheizen. Butter zusammen mit Zucker, Citro-back, Salz, Eigelben, Karottenmasse und der Hälfte der Haselnüsse gründlich verrühren. Mehl mit Backpulver mischen, durchsieben und unter Rühren löffelweise dazugeben. Rum einrühren. Eiweiße steif schlagen und zusammen mit den restlichen Teigzutaten unterheben.
2. Den Teig in eine gefettete Springform (26 cm Ø) füllen, glattstreichen und etwa 1 Stunde backen. Anschließend den Tortenring entfernen und den Kuchen abkühlen lassen.
3. Für die Verzierung Marzipanrohmasse mit Puderzucker verkneten. Rote und gelbe Speisefarbe vermischen und drei Viertel der Marzipanmasse damit orange färben. Restliches Marzipan grün färben. Aus der orangen Masse eine Rolle mit 2 cm Ø rollen

und diese in gleich große Stücke schneiden. Daraus jeweils Karotten formen und jede Karotte mit einem Messerrücken einkerben.
4. Grünes Marzipan zu einer Kugel formen, diese ausrollen, fächerartig einschneiden und stückchenweise als Kraut in die Karotten drücken. Zitronenglasur nach Packungsanweisung zubereiten, den Kuchen damit überziehen und mit Marzipankarotten verzieren.

## Tip

Die Rüblitorte schmeckt am besten, wenn Sie sie vor dem Servieren im Kühlschrank 1 Tag ruhen lassen. Sie schmeckt dann noch saftiger.

# Frischkäsetorte

**Zubereitungszeit**
*ca. 30 Min.*
**Zeit zum Kühlen**
*ca. 2 Std.*

*150 g Löffelbiskuits*
*50 g Butter*
*3 P. Vanillezucker*
*1 P. Götterspeise mit*
*Zitronengeschmack*
*1/8 l Weißwein*
*200 g Zucker*
*200 g Frischkäse (z.B. Cortina)*
*4 EL Zitronensaft*
*500 g Sahne*
*1 TL Sahnesteif*
*Limonenfilets und Zitronenmelisse*
*zum Verzieren*

**So wird's gemacht**

1. Die Löffelbiskuits im Mixer fein zerreiben, mit der Butter und 1 Päckchen Vanillezucker verkneten und die Masse als Boden in eine Springform (24 cm Ø) drücken.
2. Die Götterspeise in einem Topf mit Weißwein verrühren und 10 Minuten quellen lassen. Das Ganze schwach erhitzen, 100 g Zucker einrühren und unter Rühren in der Masse auflösen. Abkühlen lassen.
3. Den Frischkäse mit 75 g Zucker, restlichem Vanillezucker und Zitronensaft verrühren. Dann die Götterspeise einrühren. Die Sahne zusammen mit dem restlichem Zucker steif schlagen. Etwa 5 Eßlöffel davon für die Verzierung zurückbehalten, den Rest gleichmäßig unter die Käsemasse ziehen.
4. Die Creme auf den Tortenboden geben, glattstreichen und die Torte für 2 Stunden kühl stellen.
5. Die restliche Sahne zusammen mit dem Sahnesteif steif schlagen und in einen Spritzbeutel füllen. Die Torte mit Sahnerosetten verzieren und mit Limonenfilets und Zitronenmelisse garnieren.

## Tip

Wenn Sie den Weißwein durch Wasser ersetzen, können Sie die Torte auch Kindern servieren.

## Variation

Eine Götterspeise mit Waldmeistergeschmack paßt in diesem Rezept auch sehr gut.

# Karotten-Apfel-Torte

**Zubereitungszeit**
*ca. 45 Min.*
**Backzeit**
*ca. 50 Min.*

**Für den Teig:**

*100 g geschälte Mandeln*
*250 Karotten*
*250 g Äpfel*
*Saft und abgeriebene Schale*
*von 1/2 unbehandelten Zitrone*
*100 g Butterschmalz*
*120 g Zucker*
*1 Prise Salz*
*1 P. Vanillezucker*
*3 EL Milch*
*4 Eigelb*
*200 g Mehl*
*5 EL Speisestärke*
*2 TL Backpulver*

*4 Eiweiß*
*Fett für die Form*
**Zum Verzieren:**
*100 g Aprikosenkonfitüre*
*4 EL geröstete Mandelblättchen*
*2 EL Puderzucker*
*3 EL gehackte Pistazien*

**So wird's gemacht**

1. Von den Mandeln etwa 15 Stück für die Verzierung beiseite legen. Den Rest grob hacken und in einer Pfanne ohne Fettzugabe rösten. Karotten schälen und grob raspeln. Äpfel schälen, halbieren, vom Kerngehäuse befreien, ebenfalls raspeln und in einer Schüssel mit Karottenraspeln, Zitronensaft sowie -schalenabrieb vermengen.
2. Backofen auf 200 °C vorheizen. Butterschmalz mit Zucker, Salz, Vanillezucker, Milch und Eigelben verrühren. Mehl mit Speisestärke sowie Backpulver mischen, dazusieben

und zusammen mit gehackten Mandeln und Karotten-Apfel-Mischung unterheben. Eiweiße steif schlagen und unterziehen.
3. Den Teig in eine gefettete Springform (24 cm Ø) füllen, glattstreichen und etwa 50 Minuten backen. Anschließend aus der Form lösen und auf einem Kuchengitter abkühlen lassen.
4. Aprikosenkonfitüre unter Rühren erhitzen und die Torte damit rundherum bestreichen. Die Mandelblättchen an den Tortenrand drücken. Die Torte mit Puderzucker bestäuben.
5. Auf der Tortenoberfläche mit den Pistazien 12 kleine Nester bilden und in jedes Nest eine Mandel legen. Ein Nest in die Mitte streuen und die restlichen 3 Mandeln hineinlegen.

# Ostertorte

**Zubereitungszeit**
*ca. 1 Std.*
**Backzeit**
*ca. 45 Min.*

| |
|---|
| *¹/₃ Menge Mürbeteig* |
| *(siehe Rezept Seite 19)* |
| *4 Eiweiß, 1 Prise Salz* |
| *4 Eigelbe, 150 g Zucker* |
| *250 g gemahlene Haselnüsse* |
| *100 g Mehl (z.B. von Aurora)* |
| *2 TL Backpulver* |
| *300 g geraspelte Karotten* |
| *4 EL Orangenmarmelade* |
| *500 g Sahne, 2 P. Sahnesteif* |
| *3 EL feingehackte Pistazien* |
| *Osterhasen aus Marzipan* |
| *zum Verzieren* |

**So wird's gemacht**

1. Backofen auf 175 °C vorheizen. Ein Drittel Menge Mürbeteig nach Rezeptanweisung auf Seite 19 herstellen, in Alufolie gewickelt 10 Minuten kühl stellen. In einer mit Backpapier ausgelegten Springform (26 cm Ø) etwa 10 Minuten backen. Eiweiße zusammen mit Salz steif schlagen. Eigelbe zusammen mit Zucker schaumig rühren, Haselnüsse, Mehl, Backpulver und Karotten unterrühren.

2. Eischnee unter die Masse ziehen, diese in eine mit Backpapier ausgelegte Springform füllen und im Ofen bei 175 °C etwa 35 Minuten backen. Mürbeteigboden mit 2 Eßlöffeln Orangenmarmelade bestreichen. Sahne zusammen mit Sahnesteif steif schlagen.

3. Biskuit in 2 Böden teilen, unteren Boden auf Mürbeteigboden setzen und zuerst mit restlicher Orangenmarmelade, dann mit Hälfte der Sahne bestreichen. Zweiten Boden daraufsetzen. Torte mit restlicher Sahne bestreichen, mit Pistazien bestreuen und mit Marzipanosterhasen verzieren.

# Backen zur Advents- und Weihnachtszeit

Die Wintermonate sind eine ideale Zeit fürs Backen. Wenn es draußen so richtig kalt ist, hält man sich gerne in der warmen Stube auf. Was wäre da ein schönerer Zeitvertreib, als die feinen Stollen und Kuchen zuzubereiten, die wir Ihnen im folgenden Kapitel vorstellen.

# Schnelle Weihnachtstorte

**Zubereitungszeit**
*ca. 30 Min.*
**Zeit zum Kühlen**
*ca. 1 Std. 30 Min.*

*3 helle Wiener Tortenböden*
*(Fertigprodukt)*
**Für die Füllung:**
*200 g Nougatmasse*
*6 Blätter weiße Gelatine*
*1/2 l Milch*
*1 P. Vanillepuddingpulver*
*50 g Zucker, 250 g Butter*
**Für den Guß:**
*250 g Halbbitterkuvertüre*
**Zum Verzieren:**
*25 g Marzipanrohmasse*
*6 kleine Schneemänner aus Marzipan*
*(in Konfiseriegeschäften erhältlich)*
*1 EL Puderzucker*

**So wird's gemacht**

1. Den ersten Boden auf eine Tortenplatte legen. Für die Füllung die Nougatmasse im Wasserbad schmelzen lassen. Die Gelatine in reichlich kaltem Wasser einweichen.

2. Aus Milch, Puddingpulver und Zucker nach Packungsanweisung einen Vanillepudding zubereiten. Diesen in eine hitzebeständige, mittelgroße Rührschüssel füllen.

3. Die Butter in großen Würfeln hinzufügen und in dem heißen Pudding auflösen. Die Nougatmasse unterrühren.

4. Die Gelatine ausdrücken, erhitzen, auflösen und unter die Masse ziehen. Die Creme etwa 30 Minuten kühl stellen, bis sie zu gelieren beginnt.

5. Den ersten Boden mit der Hälfte der Masse bestreichen, den zweiten daraufsetzen und etwas andrücken.

6. Mit der restlichen Creme bestreichen und den dritten Boden darübergeben. Die Kuvertüre im Wasserbad schmelzen und die Torte damit überziehen. Für etwa 1 Stunde kühl stellen.

7. Die Marzipanrohmasse mit dem Puderzucker verkneten und zwischen 2 Bögen Pergamentpapier ausrollen. Mit einem Plätzchenausstecher einen Stern ausstechen und in die Mitte der Torte legen.

8. Die Schneemänner aus Marzipan auf den Tortenrand setzen und jeweils mit etwas Puderzucker umstreuen.

# Sterntalertorte

**Zubereitungszeit**
*ca. 50 Min.*
**Backzeit**
*ca. 40 Min.*
**Zeit zum Kühlen**
*ca. 30 Min.*

*4 Eiweiß, 1 Prise Salz*
*100 g Butter, 100 g Zucker*
*4 Eigelbe, je 1 Prise Nelken-,*
*Muskatnuß-, Zimt-, und Anispulver*
*400 g Zartbitterkuvertüre*
*100 g Mehl (z.B. von Aurora)*
*50 g gemahlene Mandeln*
*1 TL Backpulver*
*Außerdem:*
*250 g frischgekochter Vanillepudding*
*1 Eigelb, 150 g Butter*
*200 g Aprikosenkonfitüre*
*4 EL Aprikosenlikör*
*100 g Marzipanrohmasse*
*5 EL Puderzucker*

## So wird's gemacht

1. Backofen auf 180 °C vorheizen. Eiweiße zusammen mit Salz steif schlagen. Butter mit Zucker, Eigelben und Gewürzen verrühren. 100 g Kuvertüre schmelzen, einrühren, Eischnee, Mehl, Mandeln und Backpulver unterheben. Masse in eine mit Backpapier ausgelegte Springform füllen und 40 Minuten backen. In 3 Böden teilen.
2. Eigelb und Butter in den Pudding rühren. Konfitüre und Likör erhitzen und auf unteren Boden streichen. Etwas Creme darüberstreichen, zweiten Boden aufsetzen und mit restlicher Creme bestreichen. Dritten Boden aufsetzen und die Torte für 30 Minuten kühl stellen.
3. Restliche Kuvertüre schmelzen und Torte damit überziehen. Marzipan mit 3 Eßlöffeln Puderzucker verkneten, ausrollen und Sterne ausstechen. Die Torte mit Sternen verzieren und mit dem restlichem Puderzucker bestäuben.

# Adventstorte

**Zubereitungszeit**
*ca. 50 Min.*
**Backzeit**
*ca. 50 Min.*

**Für den Teig:**

*4 Eier*

*160 g Zucker*

*abgeriebene Schale von einer*
*unbehandelten Orange*

*80 g Mehl*

*80 g Speisestärke*
*(z.B. von Mondamin)*

*1 TL Backpulver*

*100 g gemahlene Mandeln*

*80 g flüssige Butter*

*Fett für die Form*

**Für die Füllung:**

*450 g Orangenmarmelade*

*7 EL Mandellikör*

*100 g Zartbitterschokolade*

*200 g Sahne*

**Außerdem:**

*300 g Marzipanrohmasse*

*210 g Puderzucker*

*2 EL Orangenmarmelade*

*1 TL Kakaopulver*

*1 Orangeat am Stück*

**So wird's gemacht**

1. Backofen auf 180 °C vorheizen. Eier trennen, Eiweiße zusammen mit 4 Eßlöffeln Wasser steif schlagen, dabei den Zucker einrieseln lassen. Orangenschalenabrieb und Eigelbe unterziehen. Mehl, Speisestärke sowie Backpulver mischen, durchsieben und darunterheben. Mandeln und Butter unterziehen und die Masse in eine am Boden gefettete Springform (26 cm Ø) füllen. Etwa 50 Minuten backen, dann abkühlen lassen und in 3 Böden teilen.

2. Orangenmarmelade mit 6 Eßlöffeln Mandellikör glattrühren und den unteren Boden damit bestreichen.

3. Zweiten Boden daraufsetzen. Schokolade grob raspeln. Sahne steif schlagen, mit den Schokoladenraspeln vermischen und die Sahne auf dem zweiten Boden verteilen. Dritten Boden darübergeben.

4. Marzipanrohmasse mit 200 g Puderzucker und restlichem Mandellikör verkneten. Zwischen 2 Bögen Pergamentpapier dünn ausrollen, Reste zu Kügelchen formen. Torte rundherum mit Orangenmarmelade bestreichen und dann mit Marzipan einkleiden.

5. Torte mit Marzipankügelchen verzieren und mit Puderzucker bestäuben. Mit Hilfe einer Schablone mit dem Kakaopulver Kerzen auf die Torte stäuben. Aus dem Orangeat 12 Kerzenflammen ausschneiden und über die Kerzen setzen.

# Gold-Silber-Torte

**Zubereitungszeit**
ca. 45 Min.
**Backzeit**
ca. 30 Min.

**Für Teig I:**

75 g Butterschmalz
5 Eigelb
150 g Zucker
abgeriebene Schale von
1/2 unbehandelten Zitrone
350 g Mehl
1 P. Backpulver
5 EL Milch

**Für Teig II:**

75 g Butterschmalz
5 Eiweiß, 150 g Zucker
1 P. Vanillezucker
1 P. Backpulver
350 g Mehl
5 EL Milch
Fett für die Formen

**Außerdem:**

400 g Aprikosenkonfitüre
200 g Puderzucker
1 EL Arrak
3 EL gehackte Pistazien

**So wird's gemacht**

1. Backofen auf 180 °C vorheizen. Für Teig I Butterschmalz zusammen mit Eigelben, Zucker und Zitronenschalenabrieb schaumig rühren. Mehl mit Backpulver mischen, durchsieben und unter Rühren löffelweise dazugeben. Dabei auch die Milch einrühren. Den Teig in eine gefettete Springform (26 cm Ø) füllen.

2. Für Teig II Butterschmalz schmelzen und abkühlen lassen. Eiweiße steif schlagen, dabei Zucker und Vanillezucker einrieseln lassen. Backpulver mit Mehl mischen, durchsieben und zusammen mit der Milch unterrühren. Den Teig in eine gefettete Springform (26 cm Ø) füllen.

3. Beide Teige in den Ofen geben und 25 bis 30 Minuten backen. Dann jeweils aus der Form lösen, auf einem Kuchengitter abkühlen lassen und dann in 2 Böden teilen.

4. Die Aprikosenkonfitüre leicht erwärmen und alle 4 Böden damit bestreichen. Die Böden abwechselnd, einmal „Gold", einmal „Silber" zusammensetzen.

5. Den Puderzucker mit Arrak und 2 Eßlöffeln heißem Wasser glattrühren. Die Masse in die Tortenmitte gießen und die ganze Torte damit gleichmäßig bestreichen. Zum Schluß mit Pistazien bestreuen.

# Gewürzkuchen mit Punschglasur

**Zubereitungszeit**
ca. 25 Min.
**Backzeit**
ca. 1 Std.

### Für den Teig:

200 g zimmerwarme Butter

200 g brauner Zucker

4 Eier, 75 g gemahlene Mandeln

50 g Kakaopulver

1 P. Vanillezucker

abgeriebene Schale von

1/2 unbehandelten Zitrone

2 TL Zimtpulver, 1/2 TL Nelkenpulver

je 1 Msp. Muskatnuß-, Ingwer-,

und Pimentpulver

1 Prise Salz, 300 g Mehl

1 P. Backpulver

3 EL Rum, 1/8 l Milch

50 g kandierter Ingwer

Fett für die Form

**Außerdem:**

200 g Puderzucker

je 1 EL Zitronensaft, Rum und Arrak

4 EL feingewürfeltes Zitronat

und Orangeat

### So wird's gemacht

1. Den Backofen auf 180 °C vorheizen. Für den Teig Butter zusammen mit Zucker und Eiern schaumig rühren. Mandeln, Kakaopulver, Vanillezucker, Zitronenschalenabrieb, Gewürze sowie Salz hinzufügen und unterrühren. Mehl mit Backpulver mischen, durchsieben und unter Rühren löffelweise dazugeben. Dabei Rum und Milch nach und nach dazugeben. Ingwer fein würfeln und unterheben.
2. Eine Napfkuchenform mit Butter ausstreichen. Den Teig hineinfüllen, glattstreichen und im Ofen etwa 1 Stunde backen. Anschließend auf ein Kuchengitter stürzen und abkühlen lassen.
3. Den Puderzucker durchsieben und dann mit Zitronensaft, Rum sowie Arrak glattrühren. Den noch warmen Gewürzkuchen damit überziehen und zum Schluß mit Zitronat und Orangeat bestreuen.

## Tip

Servieren Sie den Gewürzkuchen zusammen mit Schlagsahne.

## Variation

Sehr fein schmeckt der Gewürzkuchen auch, wenn Sie ihn mit Schokoladenkuvertüre überziehen. Geben Sie dann Rum und Arrak zur Schokolade, sobald Sie sie im Wasserbad geschmolzen haben.

# Honig-Nuß-Torte

**Zubereitungszeit**
*ca. 30 Min.*

*3 helle Wiener Böden*
*(Fertigprodukt)*
*225 g herbe Orangenkonfitüre*
*1 Blatt weiße Gelatine*
*400 g gemahlene Haselnüsse*
*200 g Akazienhonig*
*1 EL Rum*
*500 g Sahne*
*geröstete Haselnußkerne und*
*gemahlene Haselnüsse*
*zum Verzieren*

## So wird's gemacht

1. Die 3 Böden nebeneinander auf Backpapier legen. Die Konfitüre durch ein Sieb in einen Topf streichen, leicht erwärmen und die Böden jeweils damit bestreichen. Die Gelatine in etwas kaltem Wasser einweichen.

2. Haselnüsse, Honig und Rum zu einer glatten, festen Masse verrühren. Die Sahne steif schlagen. Die Gelatine ausdrücken, erhitzen, auflösen und unter die Sahne ziehen. Die Hälfte der Sahne mit der Nußmasse vermengen.

3. Zwei Böden gleichmäßig mit der Sahne-Nuß-Mischung bestreichen, übereinandersetzen und den dritten Boden darüberlegen. Die Torte mit der restlichen Sahne rundherum bestreichen. Mit Haselnußkernen verzieren und mit Haselnüssen bestreuen.

## Tip

Dazu paßt ein heißer Metwein oder ein Glühwein.

# Buttermilchstollen

**Zubereitungszeit**
*ca. 35 Min.*
**Zeit zum Gehen**
*ca. 1 Std.*
**Backzeit**
*ca. 40 Min.*

**Für den Teig:**

| |
| --- |
| 150 g Sultaninen |
| 3 EL Rum |
| 700 g Mehl (z.B. von Aurora) |
| 42 g Hefe (1 Würfel) |
| 100 g Zucker, 1 Ei |
| 250 g Butter, 1/4 l Buttermilch |
| 2 TL Lebkuchengewürz |
| 1 TL Salz, 150 g Pinienkerne |
| abgeriebene Schale von je |
| 1 unbehandelten Zitrone und Orange |

**Außerdem:**

| |
| --- |
| 100 g flüssige Butter |
| 100 g Puderzucker |
| 100 g Zucker |

**So wird's gemacht**

1. Die Sultaninen in Rum und 3 Eßlöffel heißem Wasser einweichen. Das Mehl in eine Schüssel sieben und in die Mitte eine Mulde eindrücken.
2. Die Hefe hineinbröckeln, mit 1 Teelöffel Zucker und 2 Eßlöffeln lauwarmem Wasser anrühren und mit etwas Mehl bestäuben. Den Vorteig zugedeckt 10 Minuten an einem warmen Ort gehen lassen.
3. Alle übrigen Teigzutaten außer den Pinienkernen hinzufügen und das Ganze mit beiden Händen zu einem glatten Teig verkneten. Zugedeckt an einem warmen Ort etwa 50 Minuten gehen lassen.
4. Die Sultaninen abtropfen lassen und zusammen mit den Pinienkernen unter den Teig arbeiten.
5. Den Backofen auf 180 °C vorheizen. Den Teig auf einer Arbeitsfläche zu einem Rechteck formen und dieses auf einer Seite etwas flachdrücken.
6. Die dickere Teighälfte auf die dünnere klappen und den Stollen auf ein mit Backpapier belegtes Backblech legen. In den Ofen geben und etwa 40 Minuten backen.
7. Den Stollen noch heiß mit Butter bepinseln und dann abkühlen lassen. Zum Schluß dick mit Puderzucker bestäuben und dann in Zucker wälzen.

# Mandelstollen

**Zubereitungszeit**
*ca. 30 Min.*
**Zeit zum Gehen**
*ca. 1 Std. 30 Min.*
**Backzeit**
*ca. 1 Std.*

**Für den Teig:**

*630 g Mehl*
*55 g Hefe*
*100 g Zucker*
*150 ml lauwarme Milch*
*1/2 TL Salz*
*125 g Butter*
*160 g Butterschmalz*
*300 g geriebene Mandeln*
*25 g geriebene Bittermandeln*
*je 50 g Zitronat und Orangeat*
*3 Tropfen Zitronenaroma*
*ausgekratztes Mark*
*von 1/2 Vanilleschote*
*1/4 TL Macisblüte*

**Außerdem:**

*80 g flüssiges Butterschmalz*
*100 g Zucker*
*125 g Puderzucker*

**So wird's gemacht**

1. Das Mehl in eine Schüssel sieben und in die Mitte eine Vertiefung eindrücken. Die Hefe hineinbröckeln, mit 1 Teelöffel Zucker und 2 Eßlöffeln lauwarmer Milch anrühren und mit etwas Mehl bestäuben. Den Vorteig 10 Minuten zugedeckt an einem warmen Ort gehen lassen.
2. Alle übrigen Teigzutaten hinzufügen und das Ganze mit beiden Händen zu einem glatten Teig verkneten. Zugedeckt an einem warmen Ort etwa 1 Stunde gehen lassen.
3. Den Backofen auf 220 °C vorheizen. Den Teig auf einer bemehlten Arbeitsfläche zu einem Rechteck formen und dieses auf einer Seite etwas flachdrücken. Die dickere Teighälfte auf die dünnere klappen und den Stollen auf ein mit Backpapier belegtes Backblech legen. Nochmals 20 Minuten gehen lassen.
4. Den Stollen in den Ofen geben und 10 Minuten bei 220 °C backen. Dann die Backofenhitze auf 200 °C reduzieren und den Stollen in etwa 50 Minuten fertigbacken.
5. Den Stollen noch heiß mit Butterschmalz bepinseln und dann abkühlen lassen.
6. Zum Schluß den Stollen in Zucker wälzen und dick mit Puderzucker bestäuben.

## Tip

Macisblüten sind die Blüten des Muskatbaumes, der in den tropischen Regenwäldern Asiens wächst. Sie erhalten die Blüten in gut sortierten Supermärkten oder beim Gewürzhändler.

# Kokosnußstollen

**Zubereitungszeit**
*ca. 40 Min.*
**Zeit zum Gehen**
*ca. 1 Std. 10 Min.*
**Backzeit**
*ca. 40 Min.*

**Für den Teig:**

*500 g Mehl (z.B. von Aurora)*
*42 g Hefe (1 Würfel)*
*100 g Zucker*
*1/8 l lauwarme Milch*
*1 Ei, 100 g Kokosflocken*
*150 g Butter*

**Für die Füllung:**

*100 g Backpflaumen*
*50 g getrocknete Aprikosen*
*100 g Marzipanrohmasse*
*je 50 g grobgehackte Mandeln*
*und Haselnüsse*
*50 g Kokosflocken*
*100 g Sahne*

**Außerdem:**

*100 g flüssige Butter*
*150 g gebräunte Kokosflocken*

**So wird's gemacht**

1. Das Mehl in eine Schüssel sieben und in die Mitte eine Vertiefung eindrücken. Die Hefe hineinbröckeln, mit 1 Teelöffel Zucker und 2 Eßlöffeln lauwarmer Milch anrühren und mit etwas Mehl bestäuben. Den Vorteig 10 Minuten zugedeckt an einem warmen Ort gehen lassen.

2. Alle übrigen Teigzutaten hinzufügen und das Ganze mit beiden Händen zu einem glatten Teig verkneten. Zugedeckt an einem warmen Ort etwa 1 Stunde gehen lassen.

3. Für die Füllung das Trockenobst kleinschneiden und mit Marzipanrohmasse, Mandeln, Haselnüssen, Kokosflocken und Sahne gut vermengen. Den Backofen auf 180 °C vorheizen. Den Teig auf einer be-

mehlten Arbeitsfläche zu einem Rechteck formen und dieses auf einer Seite etwas flachdrücken.

4. Die Marzipan-Nuß-Masse gleichmäßig darauf verteilen. Die dickere Teighälfte auf die dünnere klappen und den Stollen auf ein mit Backpapier belegtes Backblech legen.

5. Den Stollen in den Ofen geben und etwa 40 Minuten backen. Den Stollen noch heiß mit Butter bepinseln und dann in Kokosflocken wälzen.

# Quarkstollen

**Zubereitungszeit**
*ca. 15 Min.*
**Backzeit**
*ca. 20 Min.*

| |
|---|
| *90 g Magerquark* |
| *180 g Mehl, 1 Ei* |
| *50 g Butterschmalz* |
| *70 g Zucker* |
| *60 g Rosinen* |
| *$^1/_2$ P. Backpulver* |
| *1 feingeriebene Bittermandel* |
| *1 EL gemahlene Mandeln* |
| *$^1/_2$ P. Vanillezucker* |
| *Puderzucker zum Bestäuben* |

## So wird's gemacht

1. Alle Teigzutaten in eine Schüssel geben und darin mit den Knethaken des elektrischen Handrührgeräts zu einem glatten Teig verkneten. Eventuell noch etwas Wasser hinzufügen, wenn der Teig zu fest ist.
2. Den Backofen auf 200 °C vorheizen. Den Teig in 8 Stücke teilen und diese jeweils zu Rollen formen. Jeweils 3 Rollen zu einem Zopf flechten und aufeinandersetzen. Die letzten beiden Rollen mitelnander verflechten und obenauf setzen.
3. Den Stollen auf ein mit Backpapier belegtes Backblech setzen, in den Ofen geben und etwa 20 Minuten backen. Anschließend abkühlen lassen und dick mit Puderzucker bestäuben.

## Tip

Überziehen Sie den Quarkstollen mit einer Glasur aus 100 g Puderzucker, 3 Eßlöffeln Orangensaft und 1 Eßlöffel Orangenlikör.

# Sonnenblumen-
# knacker

*Für etwa 8 Stück*
**Zubereitungszeit**
*ca. 20 Min.*
**Zeit zum Ruhen**
*ca. 30 Min.*
**Backzeit**
*ca. 20 Min.*

**Für den Teig:**
100 g Zucker, 200 g Butter
1 Ei, 300 g Mehl
**Für den Belag:**
85 g Zucker
4 EL flüssiger Honig
85 g Sahne
35 g Butter
150 g Sonnenblumenkerne
**Außerdem:**
Fett für das Blech
120 g Vollmilchschokolade

**So wird's gemacht**

1. Für den Teig aus Zucker, Butter, Ei und Mehl einen Mürbeteig verkneten. In Alufolie wickeln und 30 Minuten kühl stellen.
2. Den Backofen auf 200 °C vorheizen. Ein Backblech einfetten. Den Teig auf einer bemehlten Arbeitsfläche dünn ausrollen und mit einem Ausstechförmchen 8 Kreise mit jeweils 10 cm Ø ausstechen.
3. Die Kreise auf das Blech setzen und jeweils mit einem etwa 3 cm hohen Ring aus Alufolie umlegen. In den Ofen geben und in etwa 10 Minuten goldbraun backen.
4. Inzwischen für den Belag Zucker, Honig, Sahne sowie Butter in einen Topf geben und aufkochen lassen. Unter Rühren 5 Minuten köcheln lassen, dann die Sonnenblumenkerne einrühren.
5. Die Masse jeweils auf die gebackenen Kreise füllen. Das Ganze

wieder in den Ofen geben und bei leicht geöffneter Backofentür (einen hölzernen Kochlöffel dazwischen klemmen) 8 bis 10 Minuten backen.
6. Die Vollmilchschokolade im Wasserbad schmelzen und die Knacker jeweils mit der Unterseite hineintauchen. Auf einem Kuchengitter trocknen lassen.

## Variation

Anstelle der Sonnenblumenkerne können Sie auch Mandelsplitter verwenden.

# Brownies

*Für etwa 60 Stück*
**Zubereitungszeit**
*ca. 15 Min.*
**Backzeit**
*ca. 20 Min.*

**Für den Teig:**

| |
|---|
| *125 g zimmerwarme Butter* |
| *175 g Zucker* |
| *3 Eier* |
| *2 EL Kakaopulver* |
| *150 g Mehl* |
| *50 g Sonnenblumenkerne* |

**Außerdem:**

| |
|---|
| *Fett für das Blech* |

**So wird's gemacht**

1. Den Backofen auf 180 °C vorheizen. Die Butter zusammen mit dem Zucker schaumig rühren. Die Eier und das Kakaopulver unterrühren. Das Mehl löffelweise unter Rühren dazugeben. Die Sonnenblumenkerne grob hacken und untermischen.
2. Ein Backblech einfetten. Aus Alufolie einen Falz in der Länge einer Blechschmalseite knicken. In 12 cm Abstand von der Blechseite auf das Blech geben.
3. Den Teig auf das Blech geben, glattstreichen und im Ofen 18 bis 20 Minuten backen. Aus dem Ofen nehmen und noch heiß in 4 Längsstreifen , dann in je 15 Stücke schneiden. Bis zum Verzehr in einer Blechdose aufbewahren.

**Tip**

Bereiten Sie dieses Gebäck mindestens 2 Wochen vor dem Verzehr zu.

**Variationen**

Noch feiner schmecken die Brownies, wenn Sie sie nach dem Backen mit Zartbitterkuvertüre überziehen und mit gerösteten Sonnenblumenkernen bestreuen. Sie können sie auch jeweils einmal quer durchschneiden und mit Johannisbeerkonfitüre füllen.

# Honigkuchen

**Zubereitungszeit**
ca. 30 Min.
**Backzeit**
ca. 40 Min.

**Für den Teig:**

40 g Rosinen

je 50 g kleingewürfeltes Orangeat
und Zitronat

200 g Mehl

3 Eigelb

50 g Butter

60 g Zucker

abgeriebene Schale einer
unbehandelten Zitrone

200 g flüssiger Honig

50 ml starker Kaffee oder Espresso

150 g zarte Haferflocken
(z.B. von Kölln)

1 P. Backpulver

je ¼ TL Zimt- und Pimentpulver

1 Prise gemahlene Nelken

3 Eiweiß

1 Prise Salz

**Außerdem:**

Fett für das Blech

100 g geschälte Mandelkerne

100 g rote Belegkirschen

**So wird's gemacht**

1. Den Backofen auf 190 °C vorheizen.
   Rosinen, Orangeat sowie Zitronat
   in eine Tasse geben, mit 1 Teelöffel
   Mehl bestäuben und vermischen.
2. Eigelbe zusammen mit Butter und
   Zucker schaumig rühren. Unter
   ständigem Rühren Zitronenschalenabrieb, Honig und Kaffee unterrühren.
3. Restliches Mehl, Haferflocken, Backpulver und Gewürze vermengen
   und nach und nach dazurühren. Die
   Eiweiße zusammen mit dem Salz
   steif schlagen und zusammen mit
   der Rosinen-Orangeat-Mischung
   unter die Masse ziehen.
4. Ein Backblech einfetten. Den Teig
   darauf verstreichen und in regel-
   mäßigen Abständen mit Mandeln
   und Belegkirschen belegen.
5. Den Honigkuchen in den Ofen geben und etwa 40 Minuten backen.
   Nach dem Abkühlen in Stücke
   schneiden und bis zum Verzehr in
   einer Blechdose aufbewahren.

## Tip

Aromatisieren Sie den Teig mit
1 Eßlöffel Rosenwasser. Es ist in Apo-
theken und Drogerien erhältlich.

# Früchtelebkuchen

**Zubereitungszeit**
*ca. 30 Min.*
**Backzeit**
*ca. 25 Min.*

| |
|---|
| *50 g flüssiger Honig* |
| *50 g Butter* |
| *3 Eier* |
| *150 g Zucker* |
| *100 g Datteln* |
| *100 g Feigen* |
| *je 50 g gewürfeltes Orangeat* |
| *und Zitronat* |
| *1 TL Hirschhornsalz* |
| *1/2 TL Pottasche* |
| *200 g Mehl* |
| *200 g zarte Haferflocken* |
| *(z.B. von Kölln)* |
| *2 1/2 TL Lebkuchengewürz* |
| *100 g Rosinen* |
| *abgeriebene Schale einer* |
| *unbehandelten Zitrone* |
| *50 g gehackte Haselnüsse* |
| *50 g gehackte Mandeln* |
| **Außerdem:** |
| *Fett für das Blech* |
| *250 g Puderzucker* |
| *3 EL Zitronensaft* |

## So wird's gemacht

1. Honig zusammen mit Butter in einem Topf erwärmen und wieder abkühlen lassen. Eier zusammen mit Zucker schaumig rühren. Datteln und Feigen jeweils fein würfeln. Hirschhornsalz und Pottasche jeweils getrennt in etwas Wasser auflösen.

2. Backofen auf 190 °C vorheizen. Alle Teigzutaten rasch in einer Schüssel verarbeiten. Die Masse mit nassen Händen auf ein gefettetes Blech streichen. Im Ofen etwa 25 Minuten backen.

3. Puderzucker mit Zitronensaft und 2 Eßlöffeln Wasser glattrühren und den noch heißen Lebkuchen damit überziehen. Dann in portionsgerechte Stücke schneiden.

# Ingwerschnitten

**Zubereitungszeit**
*ca. 25 Min.*
**Backzeit**
*ca. 30 Min.*

**Für den Teig:**

250 g Halbbitterschokolade

100 g kandierter Ingwer

100 g Rosinen

125 g zimmerwarme Butter

200 g Zucker, 4 Eier

200 g gemahlene Haselnüsse

125 g Mehl

125 g Vollkornmehl

**Außerdem:**

Fett für das Blech

250 g Puderzucker

Saft von 1 Zitrone

**So wird's gemacht**

1. Den Backofen auf 200 °C vorheizen. Die Schokolade fein reiben, den Ingwer fein hacken. Die Rosinen kleinschneiden.
2. Butter zusammen mit Zucker und Eiern schaumig rühren. Schokolade, Ingwer, Rosinen sowie Haselnüsse hinzufügen und unterrühren. Mehl und Vollkornmehl mischen, durchsieben und unter Rühren löffelweise dazugeben.
3. Ein Backblech einfetten. Den Teig etwa 2 cm dick auf dem Blech verstreichen und dann im Ofen etwa 25 Minuten backen. Sofort nach dem Backen in kleine Drei- oder Vierecke schneiden und abkühlen lassen.
4. Den Puderzucker mit dem Zitronensaft und 2 bis 3 Eßlöffeln Wasser glattrühren. Die abgekühlten Ingwerschnitten mit der Glasur überziehen.

## Tip

Auch Ingwerschnitten schmecken am besten, wenn Sie zwei bis drei Wochen in einer Blechdose aufbewahrt wurden.

## Variation

Der leicht herbe Geschmack des Ingwers harmoniert sehr gut mit Schokoladengeschmack, so daß Sie die Schnitten anstatt mit Zitronenglasur auch mit Zartbitterkuvertüre überziehen können. Wenn Sie den Ingwergeschmack des Gebäcks intensivieren wollen, können Sie zusätzlich noch 1/2 Teelöffel Ingwerpulver dazugeben.

# Julschlange

**Zubereitungszeit**
*ca. 30 Min.*
**Zeit zum Gehen**
*ca. 55 Min.*
**Backzeit**
*ca. 35 Min.*

**Für den Teig:**

| |
|---|
| 500 g Mehl |
| 42 g Hefe (1 Würfel) |
| 100 g Zucker |
| 1/4 l lauwarme Milch |
| 100 g Butter |
| 1 Msp. Zimtpulver |
| 1 Prise Salz |
| **Außerdem:** |
| 2 Eigelb, 2 EL Milch |
| abgezogene Mandeln |
| Rosinen |

**So wird's gemacht**

1. Das Mehl in eine Schüssel sieben und in die Mitte eine Vertiefung eindrücken. Die Hefe hineinbröckeln, mit 1 Teelöffel Zucker und 2 Eßlöffeln lauwarmer Milch anrühren und mit etwas Mehl bestäuben. Den Vorteig 10 Minuten zugedeckt an einem warmen Ort gehen lassen.

2. Die Butter in der restlichen Milch schmelzen lassen. Alle übrigen Teigzutaten zum Vorteig geben und das Ganze mit beiden Händen zu einem glatten Teig verkneten. Zugedeckt an einem warmen Ort etwa 30 Minuten gehen lassen.

3. Den Teig nochmals gründlich durchkneten und etwa eine Handvoll abnehmen. Aus dem restlichen Teig eine lange Rolle formen. Den Schlangenkopf etwas rund formen und den Schwanz etwas dünner verlaufen lassen.

4. Die Schlange kreisförmig auf ein mit Backpapier belegtes Backblech legen. Eigelbe und Milch verrühren, die Schlange damit bepinseln, Kopf und Augen mit Rosinen und Mandeln kennzeichnen.

5. Aus dem restlichen Teig eine lange, dünne Rolle formen, diese in Wellenbögen auf die Schlange legen und ebenfalls mit Eigelb bepinseln. Nochmals 15 Minuten gehen lassen.

6. Inzwischen den Backofen auf 180 °C vorheizen. Die Schlange nochmals mit Eigelb bepinseln und dann im Ofen in etwa 35 Minuten goldbraun backen.

# Nürnberger Lebkuchen

*Für etwa 24 Stück*
**Zubereitungszeit**
*ca. 30 Min.*
**Zeit zum Ruhen**
*ca. 30 Min.*
**Zeit zum Trocknen**
*über Nacht*
**Backzeit**
*ca. 30 Min.*

*4 Eier, 250 g Zucker*
*je 75 g gehackte Mandeln und Haselnüsse*
*je 75 g Orangeat und Zitronat*
*250 g Mehl*
*1/2 P. Backpulver*
*2 TL Zimtpulver*
*je 1 Msp. Nelken-, Kardamom-, und Macispulver*

**Außerdem:**
*24 runde Backoblaten (8 cm Ø)*
*150 g Kuvertüre, 250 g Puderzucker*
*2 EL Zitronensaft*
*Mandeln und Haselnußkerne*

**So wird's gemacht**

1. Eier zusammen mit Zucker schaumig rühren. Mandeln, Haselnüsse, Orangeat sowie Zitronat hinzufügen und unterrühren. Mehl mit Backpulver sowie Gewürzen mischen und unter Rühren löffelweise dazugeben. Das Ganze gut verrühren, bis eine zähe, leicht streichfähige Masse entsteht. Diese 30 Minuten ruhen lassen.
2. Ein Backblech mit Backpapier belegen. Die Backoblaten darauf verteilen. Ein Messer in kaltes Wasser tauchen und die Lebkuchenmasse damit jeweils dick auf die Oblaten streichen. Die Lebkuchen über Nacht trocknen lassen.
3. Am nächsten Tag den Backofen auf 175 °C vorheizen. Die Lebkuchen etwa 30 Minuten backen und dann abkühlen lassen.
4. Die Kuvertüre im Wasserbad schmelzen. Den Puderzucker mit Zitronensaft und 2 Eßlöffeln Wasser glattrühren.
5. Die Lebkuchen mit Schokoladen- oder Zitronenglasur überziehen und mit Mandeln oder Haselnußkernen verzieren. Bis zum Verzehr in einer Blechdose aufbewahren.

# Zimtwaffeln

*Für etwa 90 Stück*
**Zubereitungszeit**
*ca. 25 Min.*
**Zeit zum Ruhen**
*ca. 6 Std.*

*125 g zimmerwarme Butter*
*3 Eier*
*280 g Puderzucker*
*50 g Kakaopulver*
*1/2 TL gemahlene Gewürznelken*
*2 EL Zimtpulver*
*3 EL Rum*
*340 g Mehl*
*Puderzucker zum Bestäuben*

**So wird's gemacht**

1. Alle Teigzutaten in einer Schüssel gründlich miteinander verrühren, bis ein glatter Teig entsteht. Den Teig zugedeckt im Kühlschrank etwa 6 Stunden ruhen lassen.

2. Ein Waffeleisen für Oblaten vorheizen. Aus dem Teig mit nassen Händen etwa kirschgroße Kugeln formen. Eine Kugel auf die untere Fläche des Eisens legen. Die Teigkugel beim Zusammenklappen des Eisens fest in die Waffelkarten drücken und die Waffel in etwa 3 Minuten gut ausbacken.

3. Diesen Vorgang wiederholen, bis der gesamte Teig aufgebraucht ist. Die fertigen Waffeln abkühlen lassen und dann leicht mit Puderzucker bestäuben. Etwa zwei bis drei Wochen in einer Blechdose aufbewahren, dann sind sie schön mürbe.

# Plätzchen und Konfekt

Auch wenn Konditoreien und Konfiserien durch ihr reichhaltiges Angebot verlocken – selbstgemachte Plätzchen und selbsthergestelltes Konfekt sind vom Geschmack her unvergleichlich. Ganz zu schweigen vom Duft der einzelnen Gewürze, der durch das Haus zieht, wenn die Plätzchenbäcker am Werk sind. Zusammen mit Kindern oder Freunden macht das Plätzchenbacken am meisten Spaß. Wenn Sie mit Kindern backen, können Sie bei manchen Rezepten ruhig die doppelte Teigmenge herstellen, so manches nicht sauber ausgestochene Plätzchen wandert sicher „ins Kröpfchen" anstatt in den Ofen!

# Ingwerplätzchen

*Für etwa 100 Stück*
**Zubereitungszeit**
*30 Min.*
**Zeit zum Kühlen**
*ca. 1 Std.*
**Backzeit**
*ca. 15 Min.*

**Für den Teig:**
*50 g Speisestärke*
*(z.B. von Mondamin)*
*250 g Mehl*
*150 g Butter*
*100 g Zucker*
*1 Ei*
*1/2 TL Ingwerpulver*
**Außerdem:**
*1 Eigelb*
*75 g feingehackter,*
*kandierter Ingwer*

**So wird's gemacht**
1. Die Speisestärke und das Mehl auf eine Arbeitsfläche sieben, in die Mitte eine Vertiefung drücken. Die Butter in kleine Stücke schneiden, in die Vertiefung geben und den Zucker darüberstreuen. Das Ganze mit einer Palette so lange hacken, bis Streusel entstehen.
2. Die übrigen Teigzutaten dazugeben und das Ganze mit beiden Händen rasch zu einem Mürbeteig verkneten. Den Teig zu einer Kugel formen, in Alufolie wickeln und für 1 Stunde kühl stellen.
3. Den Backofen auf 200 °C vorheizen. Den Teig auf einer bemehlten Arbeitsfläche etwa 1/2 cm dick ausrollen. Mit einem Teigrädchen Rhomben (4 x 4 cm) ausschneiden. Die Rhomben auf ein mit Backpapier belegtes Backblech setzen.
4. Das Eigelb mit etwas Wasser verquirlen und die Plätzchen damit bestreichen. Die Ingwerplätzchen mit kandiertem Ingwer bestreuen und im Ofen 10 bis 15 Minuten backen.
*(auf dem Foto: oben)*

## Variation

Anstelle des Ingwerpulvers können Sie auch 2 Eßlöffel Ingwersirup (in Feinkostläden erhältlich) verwenden.

# Spitzbuben

*Für etwa 40 Stück*
**Zubereitungszeit**
*20 Min.*
**Zeit zum Kühlen**
*ca. 1 Std.*
**Backzeit**
*ca. 15 Min.*

**Für den Teig:**
*125 g Butter*
*80 g Zucker*
*80 g Speisestärke (z.B. Mondamin)*
*120 g Mehl*
*ausgekratztes Mark von*
*1/2 Vanilleschote*
*80 g Marzipanrohmasse*
*1 Ei*
**Für die Füllung:**
*225 g Johannisbeerkonfitüre*
**Außerdem:**
*Puderzucker zum Bestäuben*

**So wird's gemacht**
1. Die Butter zusammen mit dem Zucker in einer Schüssel schaumig rühren. So lange rühren, bis sich die Zuckerkristalle aufgelöst haben. Speisestärke und Mehl mit dem Vanilleschotenmark vermengen und unter die Buttercreme kneten.
2. Die Marzipanrohmasse kleinschneiden und zusammen mit dem Ei unter den Teig arbeiten. Den Teig zu einer Kugel formen, in Alufolie wickeln und für 1 Stunde im Kühlschrank ruhen lassen.
3. Den Backofen auf 170 °C vorheizen. Eine Arbeitsfläche mit Mehl bestreuen und den Teig darauf dünn ausrollen. Mit Ausstechförmchen runde

Plätzchen und Ringe in gleicher Anzahl und Größe ausstechen.
4. Ein Backblech mit Backpapier belegen. Plätzchen und Ringe daraufsetzen und im Ofen in etwa 15 Minuten hellgelb backen. Anschließend noch heiß vom Blech nehmen und auf einem Kuchengitter abkühlen lassen.
5. Die Johannisbeerkonfitüre glattrühren und die Plätzchen damit dünn bestreichen. Die Ringe mit Puderzucker bestäuben und jeweils einen Ring auf ein Plätzchen setzen. Leicht zusammendrücken und mit einem Teelöffel jeweils vorsichtig noch etwas Johannisbeerkonfitüre in die Ringmitte geben, so daß der Ring ganz mit Konfitüre gefüllt ist.
*(auf dem Foto: unten)*

## Tip

Wenn Sie kein Ringausstechförmchen besitzen, können Sie sich behelfen, indem Sie zum Beispiel mit einem Fingerhut bei den runden Plätzchen in der Mitte ein Loch ausstechen.

## Variation

Zum Füllen der Spitzbuben eignet sich außer Johanisbeerkonfitüre auch Himbeer- oder Aprikosenkonfitüre. Mit Himbeer- oder Aprikosenkonfitüre schmecken die Plätzchen allerdings insgesamt etwas süßer, das fein-säuerliche Aroma der Johannisbeeren bildet einen reizvollen Kontrast zum Geschmack des süßen Mürbeteigs. Für Spitzbuben gibt es eine ganze Reihe von Rezepten. Das oben beschriebene gehört zu den raffinierteren, da es Marzipanrohmasse enthält. Sie können das Marzipan auch weglassen, dafür aber die Buttermenge auf 200 g und die Zuckermenge auf 125 g erhöhen.

# Zitronenbrezeln

*Für etwa 60 Stück*
**Zubereitungszeit**
*30 Min.*
**Zeit zum Kühlen**
*ca. 1 Std.*
**Backzeit**
*ca. 15 Min.*

*Für den Teig:*

*50 g Speisestärke*
*(z.B. von Mondamin)*
*200 g Mehl, 125 g Butter*
*100 g Zucker, 1 Ei*
*1 TL abgeriebene Schale einer*
*unbehandelten Zitrone*
*50 g feingehacktes Zitronat*
*3 EL Zitronensaft*
*Für die Glasur:*
*150 Puderzucker*
*4 EL Zitronensaft*
*Außerdem:*
*50 g fein gehacktes Zitronat*

**So wird's gemacht**

1. Die Speisestärke und das Mehl auf eine Arbeitsfläche sieben, in die Mitte eine Vertiefung drücken. Die Butter in kleine Stücke schneiden, in die Vertiefung geben und den Zucker darüberstreuen. Das Ganze mit einer Palette so lange hacken, bis Streusel entstehen.
2. Die übrigen Teigzutaten dazugeben und das Ganze mit beiden Händen rasch zu einem Mürbeteig verkneten. Den Teig zu einer Kugel formen, in Alufolie wickeln und für 1 Stunde kühl stellen.
3. Den Backofen auf 200 °C vorheizen. Den Teig auf einer bemehlten Arbeitsfläche zu 15 cm langen, bleistiftdicken Rollen formen.
4. Aus den Rollen Brezeln formen und diese auf ein mit Backpapier belegtes Backblech legen. Die Brezeln im Ofen 12 bis 15 Minuten backen.
5. Die Brezeln noch heiß vom Blech nehmen und auf einem Kuchengitter abkühlen lassen.
6. Den Puderzucker mit dem Zitronensaft glattrühren und die Brezeln mit der Glasur überziehen. Dann mit Zitronat bestreuen.

## Variation

Sehr fein schmecken die Brezeln auch, wenn Sie anstelle von Speisestärke und Mehl 250 g geriebene Mandeln verwenden.

# Vanillekipferl

*Für etwa 60 Stück*
**Zubereitungszeit**
*30 Min.*
**Zeit zum Kühlen**
*ca. 1 Std. 10 Min.*
**Backzeit**
*ca. 15 Min.*

*50 g Speisestärke*
*(z.B. von Mondamin)*
*100 g Mehl*
*100 g Butter*
*50 g Zucker, 2 Eigelb*
*ausgekratztes Mark von*
*1/2 Vanilleschote*
*3 EL gemahlene Mandeln*
*3 EL gemahlene Haselnüsse*
**Außerdem:**
*4 EL Puderzucker*
*2 EL Vanillezucker*

**So wird's gemacht**
1. Die Speisestärke und das Mehl auf eine Arbeitsfläche sieben, in die Mitte eine Vertiefung drücken. Die Butter in kleine Stücke schneiden, in die Vertiefung geben und den Zucker darüberstreuen. Das Ganze mit einer Palette so lange hacken, bis Streusel entstehen.
2. Die übrigen Teigzutaten dazugeben und das Ganze mit beiden Händen rasch zu einem Mürbeteig verkneten. Den Teig zu einer Kugel formen, in Alufolie wickeln und für 1 Stunde kühl stellen.
3. Den Backofen auf 200 °C vorheizen. Aus dem Teig auf einer bemehlten Arbeitsfläche jeweils 5 cm dicke Rollen formen und diese 10 Minuten kühl stellen.
4. Mit einem Teigschaber von den Rollen 1/2 cm dicke Scheiben abtrennen und diese zu kleinen Hörnchen (Kipferl) biegen.

5. Auf ein mit Backpapier belegtes Backblech legen. Die Kipferl im Ofen 12 bis 15 Minuten backen. Den Puderzucker mit dem Vanillezucker vermischen und die noch warmen Kipferl darin wälzen. Bis zum Verzehr in einer Blechdose aufbewahren.

## Tip

Wenden Sie die Kipferl in einer Mischung aus Puderzucker und Bourbon-Vanille-Zucker, dann bekommen sie eine hübsche braune Färbung.

# Hagebutten-makronen

*Für etwa 40 Stück*
**Zubereitungszeit**
*20 Min.*
**Zeit zum Trocknen**
*ca. 30 Min.*
**Backzeit**
*ca. 20 Min.*

*3 Eiweiß*
*1 Prise Salz*
*150 g feiner Zucker*
*1 TL Zitronensaft*
*50 g Puderzucker*
*300 g geriebene Mandeln*
*2 EL Hagebuttenmark*

**So wird's gemacht**
1. Den Backofen auf 175 °C vorheizen. Die Eiweiße zusammen mit dem Salz steif schlagen. Dabei nach und nach den Zucker einrieseln lassen. Die Masse so lange schlagen, bis sich der Zucker vollständig aufgelöst und die Masse eine cremige Konsistenz hat.
2. Den Zitronensaft unterrühren. Den Puderzucker dazusieben und die Masse noch einmal kräftig aufschlagen. Etwa eine halbe Tasse Schaummasse abnehmen und in einen Spritzbeutel mit kleiner Lochtülle füllen. Unter die restliche Masse die Mandeln und das Hagebuttenmark mischen.
3. Ein Backblech mit Backpapier belegen. Mit einem Teelöffel jeweils etwas Teig abnehmen, die Masse zu einer Kugel formen und diese flachgedrückt auf das Backpapier setzen. Den gesamten Teig auf diese Weise verarbeiten.
4. Einen Holzstiel in Zucker tauchen und damit in jedes Plätzchen eine Vertiefung drücken.
5. In die Vertiefung mit dem Spritzbeutel etwas Eischaummasse spritzen. Die Makronen 30 Minuten trocknen lassen. Anschließend im Ofen in etwa 20 Minuten hellgelb backen.

## Tip

Beachten Sie, daß das Eiweiß für Makronen und anderes Eiweißgebäck gut gekühlt sein muß, damit es steif wird. Den Zucker sollten Sie stets unter ständigem Rühren nach und nach einrieseln lassen. Wenn sie ihn auf einmal zum Eiweiß geben, wird dieses nicht steif. Zitronensaft fördert übrigens die Verbindung von Eiweiß und Zucker. Sollten Sie eine besonders cremige Eiweißmasse benötigen, können Sie etwas Zitronensaft untermischen.

# Aprikosen-Kokos-Makronen

*Für etwa 60 Stück*
**Zubereitungszeit**
*15 Min.*
**Zeit zum Ruhen**
*ca. 30 Min.*
**Backzeit**
*ca. 20 Min.*

| |
|---|
| 2 Eier |
| 1 TL Zitronensaft |
| 150 g Zucker |
| 200 g Kokosraspel |
| 6 getrocknete Aprikosen |
| 1 Msp. Kardamom |
| je 1 Prise Nelken- und Muskatpulver |
| 40 runde Backoblaten (4, 4 cm Ø) |

### So wird's gemacht

1. Die Eier zusammen mit dem Zitronensaft und dem Zucker schaumig schlagen. Die Kokosraspel unter die Ei-Zucker-Masse heben.
2. Die Aprikosen fein würfeln und zusammen mit den Gewürzen unterrühren. Die Masse etwa 30 Minuten ruhen lassen.
3. Den Backofen auf 175 C° vorheizen. Ein Backblech mit Backpapier belegen und die Backoblaten darauf verteilen. Mit Hilfe von 2 Teelöffeln die Teigmasse jeweils als Häufchen auf die Oblaten setzen.
4. Die Makronen in den Ofen geben und in 15 bis 20 Minuten goldgelb backen. Noch heiß vom Blech nehmen und auf einem Kuchengitter abkühlen lassen. Bis zum Verzehr in einer Blechdose aufbewahren.

# Himbeerschnitten

**Zubereitungszeit**
*30 Min.*
**Zeit zum Ruhen**
*ca. 2 Std.*
**Backzeit**
*ca. 10 Min.*

**Für den Teig:**

| |
|---|
| *100 g zimmerwarme Butter* |
| *1 P. Vanillezucker* |
| *120 g Zucker* |
| *1 Prise Salz* |
| *4 Eigelb* |
| *Saft und abgeriebene Schale* |
| *einer unbehandelten Orange* |
| *3 Eiweiß* |
| *90 g Mehl* |
| *3 EL Speisestärke* |
| *100 g geriebene Mandeln* |
| *Butter für das Blech* |

**Für die Füllung:**

| |
|---|
| *250 g Himbeermarmelade* |

**Für die Glasur:**

| |
|---|
| *200 g Puderzucker* |
| *4 EL ungesüßter Himbeersaft* |
| *4 EL Himbeergeist* |

**Zum Verzieren:**

| |
|---|
| *6 EL Mandelsplitter* |
| *evtl. einige frische Himbeeren* |

### So wird's gemacht

1. Den Backofen auf 200 °C vorheizen. Butter zusammen mit Vanillezucker, Salz und der Hälfte des Zuckers mit den Quirlhaken eines elektrischen Handrührgeräts schaumig rühren. Nacheinander die Eigelbe, Orangensaft und -schalenabrieb unter die Butter-Zucker-Masse rühren.
2. Die Eiweiße steif schlagen, dabei den restlichen Zucker einrieseln lassen. Den Eischnee auf die Butter-Ei-Masse geben.
3. Mehl und Speisestärke vermischen, darübersieben und mit einem Schneebesen locker unterheben. Zum Schluß die Mandeln dazugeben und das Ganze vorsichtig miteinander vermengen.

4. Ein Backblech mit Backpapier belegen und dieses mit Butter einstreichen. Den Teig etwa 1 cm dick auf das Backpapier streichen. Im Ofen etwa 10 Minuten auf der mittleren Einschubleiste backen und auf dem Blech abkühlen lassen. Dann auf eine Arbeitsfläche stürzen, mit einem Küchentuch bedecken und 2 Stunden ruhen lassen.
5. Anschließend die Teigplatte mit einem langen Messer einmal waagerecht durchschneiden und die beiden Hälften auseinanderklappen.
6. Die Himbeermarmelade durch ein feines Sieb streichen. Eine Teighälfte mit der Marmelade bestreichen, die andere Hälfte darauf legen.
7. Für die Glasur den Puderzucker durchsieben und in einer Schüssel mit Himbeersaft und Himbeergeist glattrühren.
8. Die Teigplatte mit der Glasur überziehen und dann in kleine Quadrate von etwa 3 cm Kantenlänge schneiden.
9. Auf jedes Quadrat zwei Mandelsplitter überkreuz legen und in die noch warme Glasur drücken. Die Schnitten nach Belieben zusammen mit frischen Himbeeren servieren.

### Tip

Geben Sie die saftigen Himbeerschnitten in kleine Papierförmchen und servieren Sie sie als Petits fours zum Nachmittagskaffee. Sie sind zu jeder Jahreszeit eine willkommene, kleine Köstlichkeit.

### Variation

Etwas üppiger, dafür um so feiner werden die Schnitten, wenn sie mit Himbeersahne gefüllt werden. Hierfür die Teigplatte, wie oben beschrieben, einmal waagerecht durchschneiden. Eine Teighälfte umdrehen und die Oberfläche mit Glasur überziehen. Dann die Füllung zubereiten: 1/8 Liter Rotwein zusammen mit 6 Eßlöffeln Zucker aufkochen lassen und mit 2 Teelöffeln Speisestärke binden. Gut 300 g frische Himbeeren hinzufügen, die Masse nochmals aufkochen lassen und mit 2 Eßlöffeln Himbeergeist aromatisieren. 100 g Himbeeren pürieren und dann durch ein Sieb streichen. Knapp 750 g Sahne zusammen mit 6 Eßlöffeln Zucker steif schlagen und mit dem Himbeerpüree mischen. Die Himbeer-Wein-Mischung auf dem unteren Teigboden verstreichen. Die Himbeersahne daraufgeben, mit einer Palette glattstreichen und die glasierte Teigplatte vorsichtig daraufsetzen. Die Teigplatte mit einem langen, scharfen Messer in Quadrate von 10 cm Kantenlänge schneiden. Die gefüllten Himbeerschnitten vor dem Servieren für mindestens 2 Stunden kühl stellen.

# Biscotti

*Für etwa 35 Stück*
**Zubereitungszeit**
*20 Min.*
**Zeit zum Kühlen**
*ca. 1 Std.*
**Backzeit**
*ca. 20 Min.*

**Für den Teig:**

| |
|---|
| 50 g Speisestärke |
| (z.B. von Mondamin) |
| 200 g Mehl |
| 1 TL Backpulver |
| 1 Ei, 75 g Zucker |
| 1 TL gemahlener Anis |
| 75 g Butter |
| 50 g Sahne |

**Für den Guß:**

| |
|---|
| 150 g Puderzucker |
| 3 EL ungesüßter Kirschsaft |

**So wird's gemacht**

1. Speisestärke, Mehl sowie Backpulver vermischen und in eine Schüssel sieben. Ei, Zucker, Anis, Butter in Stückchen und Sahne hinzufügen.
2. Das Ganze mit den Knethaken des elektrischen Handrührgeräts auf niedriger Schaltstufe gründlich verkneten.  Den Teig zu einer Kugel formen, in Alufolie wickeln und für 1 Stunde kühl stellen.
3. Den Backofen auf 175 °C vorheizen. Eine Arbeitsfläche mit Mehl bestäuben und den Teig darauf zu einem Rechteck von 50 x 15 cm ausrollen. Das Rechteck in Streifen von 1,5 x 15 cm schneiden.
4. Ein Backblech mit Backpapier belegen. In jeden Teigstreifen einen Knoten schlingen und die Biscotti auf das Blech setzen. In den Ofen geben und in 15 bis 20 Minuten goldgelb backen.
5. Anschließend noch heiß vom Blech nehmen und auf einem Kuchengitter abkühlen lassen.
6. Für den Guß den Puderzucker mit dem Kirschsaft glattrühren. Die Biscotti mit dem Guß bestreichen und auf dem Kuchengitter kurz trocknen lassen. Bis zum Verzehr in einer Blechdose aufbewahren.

## Tip

Servieren Sie diese  italienische Backspezialität zusammen mit sahnigschaumigem Cappucchino.

# Rum-Rosinen-Bissen

**Zubereitungszeit**
*25 Min.*
**Zeit zum Durchziehen**
*ca. 3 Std.*
**Backzeit**
*ca. 12 Min.*

*150 g Rosinen*
*3 EL hochwertiger Rum*
*125 g zimmerwarme Butter*
*80 g Zucker*
*2 Eier*
*1 Msp. Salz*
*1 Msp. gemahlene Nelken*
*1 Prise Backpulver*
*250 g Mehl*
*Butter für die Förmchen*
*je 2 EL Puderzucker und*
*Kakaopulver zum Bestäuben*

## So wird's gemacht

1. Die Rosinen auf einem Sieb heiß waschen, abtropfen lassen und im Rum 3 Stunden durchziehen lassen. Butter schaumig rühren, dann Zucker, Eier, Salz und Nelken hinzufügen. So lange rühren, bis die Masse weiß und cremig wird.
2. Den Backofen auf 200 °C vorheizen. Rosinen abtropfen lassen und unter die Teigmasse heben. Backpulver mit Mehl mischen, dazusieben und mit einem Schneebesen gründlich unterziehen.
3. Kleine Backförmchen mit Butter ausstreichen und auf ein Blech setzen. Den Teig in einen Spritzbeutel geben und jeweils in die Förmchen spritzen. Die Bissen in den Ofen geben und 10 bis 12 Minuten backen. Dann mit Puderzucker oder mit Kakaopulver bestäuben.

# Walnußbusserl

*Für etwa 70 Stück*
**Zubereitungszeit**
*30 Min.*
**Zeit zum Kühlen**
*ca. 3 Std.*
**Backzeit**
*ca. 10 Min.*

**Für den Teig:**
250 g Mehl (z.B. von Aurora)
120 g Butter
1 TL Backpulver
1 TL Zimtpulver
1 Msp. Muskatpulver
70 g Zucker
1 Ei
**Zum Verzieren:**
100 g Zartbitterkuvertüre
100 g Walnußhälften

**So wird's gemacht**
1. Das Mehl auf eine Arbeitsfläche sieben, in die Mitte eine Vertiefung drücken. Die Butter in kleine Stücke schneiden und in die Vertiefung geben. Backpulver, Gewürze und Zucker darüberstreuen. Das Ganze mit einer Palette so lange hacken, bis Streusel entstehen.
2. Die übrigen Teigzutaten dazugeben und das Ganze mit beiden Händen rasch zu einem Mürbeteig verkneten. Den Teig zu einer Rolle von 3 cm Ø formen, in Alufolie wickeln und für 3 Stunden kühl stellen.
3. Den Backofen auf 200 °C vorheizen. Von der Teigrolle etwa 1 cm dicke Scheiben abschneiden und diese auf einer bemehlten Arbeitsfläche zu Kugeln formen.
4. Auf ein mit Backpapier belegtes Backblech legen und leicht andrücken. Die Busserl im Ofen etwa 10 Minuten backen. Anschließend noch heiß vom Blech nehmen und auf einem Kuchengitter abkühlen lassen.
5. Die Kuvertüre im Wasserbad schmelzen lassen. Die Busserl

jeweils mit 1 Teelöffel Kuvertüre verzieren und mit einer halben Walnuß dekorieren. Nach Belieben in kleinen Papierförmchen servieren.
*(auf dem Foto: links)*

## Variation

Analog zu den Walnußbusserln gibt es natürlich auch Walnußkonfekt. Hierfür verkneten Sie 150 g Marzipanrohmasse mit 50 g kandierten, feingehackten Kirschen und vermengen die Masse mit 1 Eßlöffel Kirschwasser und 50 g Puderzucker. Aus der Masse Kugeln formen und in jede Kugel 2 Walnußhälften hineindrücken. Etwa 50 g Zartbitterkuvertüre im Wasserbad schmelzen und die Pralinen jeweils zur Hälfte hineintauchen. Auf Backpapier erstarren lassen und in Pralinenmanschetten servieren. Je nach Größe der Kugeln erhalten Sie 20 bis 25 Stück.

# Bunte Biskuithäppchen

*Für etwa 60 Stück*
**Zubereitungszeit**
*40 Min.*
**Backzeit**
*ca. 10 Min.*

**Für den Teig:**
8 Eiweiß
Salz
8 Eigelb
200 g Zucker
200 g Mehl (z.B. von Aurora)
**Für die Füllung:**
160 g Nougatmasse
100 g Butter
2 Eigelb
60 g Puderzucker

140 g Aprikosenmarmelade
2 EL Aprikosenlikör
**Für die Glasur:**
2 Eigelb
200 g Puderzucker
3–4 TL Zitronensaft
140 g gemischte kandierte Früchte

**So wird's gemacht**
1. Den Backofen auf 200 °C vorheizen. Die Eiweiße zusammen mit dem Salz steif schlagen. Die Eigelbe zusammen mit 6 bis 8 Eßlöffeln Wasser schaumig schlagen, dabei den Zucker nach und nach einrieseln lassen. So lange schlagen, bis die Masse weiß und cremig ist.
2. Den Eischnee auf die Eigelbmasse geben, das Mehl darübersieben und das Ganze mit einem Schneebesen vorsichtig miteinander vermengen. Den Teig auf ein mit Backpapier belegtes Blech geben, glattstreichen und im Ofen etwa 10 Minuten backen.
3. Nach dem Backen abkühlen lassen und in 3 gleich große Längsstreifen schneiden. Für die Füllung die Nougatmasse im Wasserbad erwärmen und wieder abkühlen lassen. Butter zusammen mit Eigelben und Puderzucker schaumig schlagen. Das Nougat eßlöffelweise unter die Buttercreme rühren und dann das Ganze kräftig aufschlagen.
4. Die Aprikosenmarmelade zusammen mit dem Aprikosenlikör in einem Topf verrühren und erhitzen. Einen Teigstreifen mit Nougatcreme, einen mit Aprikosenmarmelade bestreichen. Alle 3 Böden aufeinandersetzen und gut andrücken.
5. Für die Glasur Eigelbe mit Puderzucker und Zitronensaft verrühren und auf die Kuchenoberfläche streichen. Die kandierten Früchte fein hacken und über den Guß streuen. Die Glasur fest werden lassen und den Kuchen in 3 x 4 cm große Rechtecke schneiden.
*(auf dem Foto: rechts)*

# Madeleines

*Für etwa 40 Stück*
**Zubereitungszeit**
*25 Min.*
**Backzeit**
*ca. 20 Min.*

**Für den Teig:**

| |
|---|
| *150 g Butter* |
| *200 g Zucker* |
| *1 TL Vanillezucker* |
| *1 TL abgeriebene Schale einer* |
| *unbehandelten Zitrone* |
| *1 Prise Salz* |
| *6 Eier* |
| *100 g Speisestärke* |
| *(z.B. vom Mondamin)* |
| *100 g Mehl* |
| *1 TL Backpulver* |
| *1 EL Orangenblütenwasser* |

**Außerdem:**

| |
|---|
| *Fett für die Förmchen* |
| *100 g Kuvertüre* |

**So wird's gemacht**

1. Die Butter in kleine Stücke schneiden und in einer vorgewärmten Schüssel schaumig schlagen.
2. Den Backofen auf 180 °C vorheizen. Zucker, Vanillezucker, Zitronenschalenabrieb und Salz zur Butter geben und unterrühren. Die Eier einzeln daruntermischen. Speisestärke, Mehl und Backpulver mischen und dazusieben.
3. Das Ganze rasch zu einem gleichmäßigen Teig verrühren und diesen mit Orangenblütenwasser aromatisieren. Madeleine- oder andere kleine Förmchen ausfetten und jeweils bis zum Rand mit Teig füllen. Die Madeleines im Ofen etwa 20 Minuten backen.
4. Nach dem Backen noch heiß vom Blech nehmen und abkühlen lassen. Die Kuvertüre im Wasserbad schmelzen und die Madeleines mit dem unteren Ende hineintauchen.
5. Auf ein Kuchengitter setzen und trocknen lassen.

## Tip

Wenn Sie keine Madeleinesförmchen besitzen, stülpen Sie Alufolie über ein Schnapsglas und stellen Sie auf diese Weise Förmchen her.

# Walnußwürfel

*Für etwa 60 Stück*
**Zubereitungszeit**
*25 Min.*
**Backzeit**
*ca. 20 Min.*

| |
|---|
| *3 hartgekochte, passierte Eigelb* |
| *120 g Zucker* |
| *120 g Butter* |
| *150 g Mehl* |
| *1 Msp. Zimtpulver* |
| *1 Msp. gemahlene Nelken* |
| *abgeriebene Schale von* |
| *1/2 unbehandelten Zitrone* |
| *Butter für das Blech* |
| *225 g Orangenmarmelade* |
| *350 g gemahlene Walnüsse* |
| *2 Eier* |
| *3 EL Puderzucker* |
| *1 EL Rum* |
| *150 g Kuvertüre* |

## So wird's gemacht

1. Eigelbe mit Zucker, Butter, Mehl und Gewürzen zu einem Mürbeteig verarbeiten. Die Hälfte des Teiges dünn ausrollen und auf ein gefettetes Blech legen. Den Teig mit Orangenmarmelade bestreichen.

2. Den Backofen auf 200 °C vorheizen. Walnüsse, Eier, Puderzucker und Rum in einer Schüssel verrühren und gleichmäßig auf die Marmelade streichen. Restlichen Teig dünn ausrollen, darüberlegen und das Ganze im Ofen etwa 20 Minuten backen.

3. Die Kuvertüre im Wasserbad schmelzen, den Kuchen damit überziehen und mit einem Garnierkamm ein Wellenmuster in den Guß machen. Den Guß erstarren lassen und den Kuchen in kleine Würfel schneiden.

# Pfeffernüsse

*Für etwa 50 Stück*
**Zubereitungszeit**
*30 Min.*
**Zeit zum Trocknen**
*über Nacht*
**Backzeit**
*ca. 20 Min.*

**Für den Teig:**

50 g Zucker
100 g flüssiger Honig
100 g Butter, 275 g Mehl
2 TL Backpulver
1 TL Zimtpulver
je 1 Msp. Kardamom-
und Pimentpulver
$^1/_2$ TL gemahlene Nelken

**Für die Glasur:**

150 g Puderzucker
2 EL Rum

**So wird's gemacht**

1. Zucker zusammen mit Honig und Butter in einen Topf geben. Unter Rühren erhitzen und so lange köcheln lassen, bis der Zucker vollständig geschmolzen ist. Dann abkühlen lassen.
2. Das Mehl in einer Schüssel mit dem Backpulver und den Gewürzen vermischen. Die Honigmasse hinzufügen und das Ganze mit beiden Händen zu einem glatten Teig kneten.
3. Aus dem Teig Rollen formen, in kleine Stücke schneiden, diese zu nußgroßen Kugeln drehen und die Kugeln über Nacht trocknen lassen.
4. Den Backofen auf 200 °C vorheizen. Ein Backblech mit Backpapier belegen, die Pfeffernüsse daraufgeben und im Ofen in 15 bis 20 Minuten goldbraun backen. Nach dem Backen sofort vom Blech lösen.
5. Aus Puderzucker, Rum und etwas Wasser einen Zuckerguß rühren.
6. Die noch warmen Pfeffernüsse damit glasieren. Vor dem Verzehr für 2 bis 3 Wochen in einer Blechdose aufbewahren.

## Tip

Piment ist mit der Gewürznelke verwandt und wird auch Nelkenpfeffer genannt. Es schmeckt gleichzeitig nach Nelken, Pfeffer und Muskat und verleiht diesem Gebäck seinen Namen.

## Variation

Wenn Sie dem Teig 2 Eßlöffel geriebene Schokolade zufügen und die gebackenen Pfeffernüsse mit Kuvertüre überziehen, erhalten Sie braune Pfeffernüsse.

# Trüffelpralinen

*Für etwa 40 Stück*
**Zubereitungszeit**
*20 Min.*
**Zeit zum Kühlen**
*ca. 6 Std.*

*200 g Bitterschokolade*
*200 g Puderzucker*
*200 g zimmerwarme Butter*
*4 EL Mirabellengeist*
*(ersatzweise Aprikosengeist)*
*1 Eigelb*
*400 g Vollmilchkuvertüre*
*Schokoladenstreusel*
*Kokosraspeln*

**So wird's gemacht**

1. Die Bitterschokolade im Wasserbad schmelzen lassen. Puderzucker zusammen mit Butter, Eigelb und Mirabellengeist in eine Schüssel geben und darin schaumig rühren.
2. Die geschmolzene Schokolade gründlich unter die Zucker-Butter-Masse rühren und die Masse für 2 Stunden in den Kühlschrank geben.
3. Aus der Masse mit den Händen oder mit einem Eisportionierer kleine Kugeln formen. Die Kugeln nochmals für 2 Stunden kühl stellen.
4. Die Kuvertüre im Wasserbad flüssig werden lassen. Die Trüffelkugeln einzeln auf eine Gabel spießen, in die Kuvertüre tauchen, kurz trocknen lassen und dann nach Belieben in Schokostreuseln oder Kokosraspeln wälzen. Vor dem Servieren für 2 Stunden kühl stellen.

## Tip

Bei der Herstellung von Pralinen sollten Sie darauf achten, daß die verwendete Schokolade von ausgezeichneter Qualität ist. Je höher der Kakaoanteil in der Schokolade ist, um so hochwertiger ist sie.

## Variation

Sehr fein schmecken auch Sahnetrüffel. Hierfür kochen Sie 250 g Sahne in einem Topf auf und rühren 375 g geraspelte Bitterschokolade sowie 50 g Butter in Stücken hinein. Die Masse gut verrühren und noch warm in einen Spritzbeutel füllen. In Pralinenkapseln aus Metall spritzen, mit Silberperlen, Pistazienkerne oder kandierten Veilchen verzieren. Vor dem Servieren für etwa 3 Stunden kühl stellen.

# Sahnepralinen

*Für etwa 40 Stück*
**Zubereitungszeit**
*10 Min.*
**Zeit zum Kühlen**
*ca. 6 Std.*

*125 g Sahne*
*200 g Halbbitterkuvertüre*
*1 TL Pulverkaffee*
*3 EL Puderzucker*
***Außerdem:***
*bunte Pralinenförmchen*
*gehackte Pistazienkerne*
*Buntzucker*
*Silberperlen*
*Mandelstifte*

**So wird's gemacht**
1. Die Sahne in einen Topf geben und erhitzen. Die Kuvertüre zerkleinern, hinzufügen und das Ganze unter ständigem Rühren mit einem Schneebesen köcheln lassen, bis die Kuvertüre vollständig aufgelöst ist.
2. Den Topf vom Herd nehmen, Pulverkaffee und Puderzucker einrühren und die Masse mit dem Schneebesen kräftig schlagen, bis sie sehr cremig ist.
3. Die Creme mit einem Teelöffel vorsichtig in Pralinenförmchen füllen und nach Belieben mit Pistazienkernen, Buntzucker, Silberperlen oder Mandelstiften bestreuen. Vor dem Servieren für etwa 6 Stunden in den Kühlschrank geben.
*(auf dem Foto oben)*

## Variation ▨▨▨▨▨▨

Anstelle des Pulverkaffees können Sie auch 1 Eßlöffel starken Kaffee oder Espresso verwenden.

# Schokokaramellen

*Für etwa 35 Stück*
**Zubereitungszeit**
*20 Min.*
**Zeit zum Kühlen**
*ca. 3 Std.*

*250 g Zucker*
*250 g Sahne*
*50 g Kakaopulver*
*80 g flüssiger Honig*
***Außerdem:***
*bunte Pralinenförmchen*
*Silberperlen*
*kandierte Veilchen*
*flüssige Kuvertüre*
*Buntzucker*

**So wird's gemacht**
1. Den Zucker zusammen mit Sahne, Kakaopulver und Honig in einen Topf geben. Das Ganze erhitzen und unter ständigem Rühren mit einem Kochlöffel zum Kochen bringen.
2. Die Masse etwa 10 Minuten bei mittlerer Hitze köcheln lassen. Dabei ständig umrühren, damit nichts am Topfboden ansetzen kann.
3. Das Karamel mit einem Teelöffel in bunte Pralinenförmchen füllen. Die Karamellen je nach Belieben mit Silberperlen, kandierten Veilchen, flüssiger Kuvertüre oder Buntzucker verzieren.
4. Die Karamellen auf eine Platte setzen und für etwa 3 Stunden in den Kühlschrank stellen. Danach bis zum Verzehr luftdicht verpackt aufbewahren.
*(auf dem Foto unten)*

## Tip ▨▨▨▨▨▨

Diese Schokokaramellen sind ein hübsches Geschenk. Verpacken Sie die fertigen Karamellen in buntes, durchsichtiges Geschenkpapier.

# Marzipan-Aprikosen-Konfekt

*Für etwa 40 Stück*
**Zubereitungszeit**
*20 Min.*
**Zeit zum Durchziehen**
*ca. 2 Std.*

*125 g getrocknete Aprikosen*
*1 EL Apricot Brandy*
*200 g Marzipanrohmasse*
*100 g Puderzucker*
*100 g Kuvertüre*
*100 g geschälte Mandelhälften*

**So wird's gemacht**
1. Die Aprikosen fein hacken, in eine Schüssel geben und mit dem Apricot Brandy beträufeln. Zugedeckt 2 Stunden durchziehen lassen.
2. Die Marzipanrohmasse mit dem Puderzucker verkneten. Die Aprikosenstücke mitsamt dem Brandy dazugeben und einarbeiten.
3. Aus der Marzipanmasse zwischen 2 Bögen Pergamentpapier eine 2 cm dicke Rolle formen. Etwa 1/2 cm dicke Scheiben abschneiden und diese zu Kugeln formen.
4. Die Kuvertüre im Wasserbad schmelzen. Jede Marzipankugel zur Hälfte hineintauchen und auf Backpapier trocknen lassen. Das Konfekt jeweils mit Mandelhälften verzieren.
*(ohne Abb.)*

## Variation ▨▨▨▨▨▨

Für dieses Konfekt gibt es auch eine andere Zubereitungsart: 200 g getrocknete Aprikosen am Stück in 3 Eßlöffeln Apricot Brandy durchziehen lassen. 20 geschälte Mandeln jeweils mit Marzipanrohmasse umwickeln und die Aprikosen damit füllen. Die Aprikosen jeweils auf Spieße stecken, in flüssige Kuvertüre tauchen und dann in Kokosraspeln wälzen.

# Brot, Brötchen & pikantes Gebäck

Selbstgebackenes Brot und ofenwarme Brötchen sind nicht nur eine Abwechslung auf dem sonntäglichen Frühstückstisch; sie rufen auch Erinnerungen an die „guten alten Zeiten" wach, als es in jedem Haushalt noch üblich war, sämtliche Backwaren selbst herzustellen. Für das Brotbacken sollten Sie viel Zeit mitbringen, da Hefe- oder Sauerteigkulturen sich nur langsam entfalten. Neben Brot und Brötchen finden Sie in diesem Kapitel Rezepte für feines Pikantes wie zum Beispiel die berühmte „Quiche Lorraine", dem idealen Essen, wenn Sie eine spontane Einladung geben.

# Weizenvollkornbrot

*Für 2 Brote à ca. 25 Scheiben*
**Zubereitungszeit**
*ca. 1 Std.*
**Zeit zum Gehen**
*ca. 1 Std.*
**Zeit zum Quellen**
*ca. 30 Min.*
**Backzeit**
*ca. 50 Min.*

*500 g Weizenvollkornmehl (Type 1700)*
*250 g Weizenmehl (Type 405)*
*75 g Weizen- oder Haferkleie*
*42 g Hefe (1 Würfel)*
*200 ml lauwarmes Wasser*
*1/4 l lauwarme Buttermilch*
*1 EL Salz*
*125 g Sonnenblumenkerne*
*1/8 l heiße Milch*
*Milch zum Bestreichen*

**So wird's gemacht**
1. Das Weizenvollkornmehl durchsieben, dann mit dem Weizenmehl und der Kleie in einer großen Schüssel vermischen. In die Mitte eine Mulde drücken. Die Hefe in eine Tasse bröckeln, darin mit dem lauwarmen Wasser glattrühren und in die Mulde gießen.
2. Mit etwas Mehl vom Rand zu einem dickflüssigen Ansatz verrühren. Etwas Mehl darüberstäuben und den Ansatz zugedeckt an einem warmen Ort etwa 15 Minuten gehen lassen.
3. Die Buttermilch und das Salz hinzufügen und das Ganze zu einem glatten, geschmeidigen Teig verarbeiten. Eventuell noch etwas lauwarmes Wasser hinzufügen. Den Teig so lange mit den Händen kneten und schlagen, bis er Blasen wirft. Zugedeckt an einem warmen Ort 30 Minuten gehen lassen, bis sich sein Volumen verdoppelt hat.
4. Von den Sonnenblumenkernen 75 g abnehmen, mit der heißen Milch übergießen und 30 Minuten darin quellen lassen. Dann abtropfen lassen und unter den Teig kneten. Den Teig halbieren und 2 runde Laibe formen. Mit etwas Milch bestreichen, an der Oberfläche überkreuz einschneiden und mit den restlichen Sonnenblumenkernen bestreuen. Auf ein bemehltes Blech setzen und nochmals 15 Minuten gehen lassen.
5. Inzwischen den Backofen auf 220 °C vorheizen und eine mit Wasser gefüllte, feuerfeste Schale hineinstellen. Die Brote 20 Minuten backen, die Backofenhitze auf 180 °C reduzieren und die Brote in 30 Minuten fertigbacken.

# Haferflockenbrot

*Für ca. 25 Scheiben*
**Zubereitungszeit**
*ca. 30*
**Zeit zum Gehen**
*ca. 1 Std.*
**Backzeit**
*ca. 50 Min.*

*200 g Haferflocken*
*(z.B. von Kölln)*
*200 g Weizenvollkornmehl*
*(Type 1700)*
*200 g Roggenvollkornmehl*
*42 g Hefe (1 Würfel)*
*150 g Sauerteig (Fertigprodukt)*
*1 TL Salz, 100 g Kürbiskerne*
*Fett für das Blech*
*5 EL Haferflocken zum Bestreuen*

### So wird's gemacht

1. Haferflocken, Weizen- und Roggenmehl in einer Schüssel mischen und
   in die Mitte eine Mulde drücken.
   Hefe in 100 ml lauwarmem Wasser
   auflösen, in die Mulde gießen und
   zugedeckt an einem warmen Ort
   15 Minuten gehen lassen. Sauerteig,
   Salz sowie 400 ml lauwarmes Wasser dazugeben, das Ganze zu einem
   glatten Teig verkneten und zugedeckt 30 Minuten gehen lassen.
2. Kürbiskerne unterkneten, einen
   rechteckigen Laib formen, diesen
   auf ein gefettetes Blech setzen und
   mit Haferflocken bestreuen. Zugedeckt nochmals 15 Minuten gehen
   lassen.
3. Backofen auf 200 °C vorheizen und
   eine mit Wasser gefüllte, feuerfeste
   Schale hineinstellen. Das Brot in den
   Ofen geben und etwa 50 Minuten
   backen.

# Sonnenblumenbrot

*Für ca. 25 Scheiben*
**Zubereitungszeit**
*ca. 45 Min.*
**Zeit zum Gehen**
*1 Std.*
**Backzeit**
*ca. 40 Min.*

170 g Sonnenblumenkerne
42 g Hefe (1 Würfel)
2 TL Meersalz
350 g Weizenvollkornmehl (Type 1700)
2 TL gemahlener Kümmel
1 EL gemahlener Korinander
6 EL Sonnenblumenöl
150 Roggenvollkornmehl
Fett für das Blech, 1 Eigelb

**So wird's gemacht**
1. Etwa 150 g Sonnenblumenkerne ohne Fettzugabe anrösten. Hefe und Salz in 300 ml lauwarmem Wasser auflösen, Weizenmehl sowie Gewürze hinzufügen und das Ganze 5 bis 10 Minuten durcharbeiten.
2. 5 Eßlöffel Öl und Roggenmehl dazugeben. Den Teig so lange kneten, bis er sich vom Schüsselrand löst. Sonnenblumenkerne unterkneten. Aus dem Teig eine Kugel formen und diese zugedeckt an einem warmen Ort 40 Minuten gehen lassen.
3. Nochmals kräftig durchkneten, als Kugel auf ein gefettetes Blech setzen und nochmals 20 Minuten gehen lassen. Ein nasses Ausstechförmchen (7, 5 cm Ø) in die Mitte des Brotes drücken. Den Brotrand mit einem Messer 6 bis 7 mal einschneiden.
4. Backofen auf 200 °C vorheizen und eine mit Wasser gefüllte, feuerfeste Schale hineinstellen. Eigelb mit 1 Teelöffel Wasser sowie restlichem Öl verquirlen und das Brot damit bestreichen, dabei die Einschnitte frei lassen. Brot mit restlichen Sonnenblumenkernen bestreuen und im Ofen etwa 40 Minuten backen.

*(auf dem Foto: oben)*

# Zwiebelbrötchen

*Für etwa 24 Stück*
**Zubereitungszeit**
*ca. 30 Min.*
**Zeit zum Gehen**
*ca. 45 Min.*
**Backzeit**
*ca. 30 Min.*

50 g gewürfelter Speck
250 g feingewürfelte Zwiebeln
170 g Sonnenblumenkerne
42 g Hefe (1 Würfel), 2 TL Meersalz
350 g Weizenvollkornmehl (Type 1700)
2 TL gemahlener Kümmel
1 EL gemahlener Korinander
6 EL Sonnenblumenöl
150 Roggenvollkornmehl
Fett für das Blech
1 Eigelb, 4 EL Thymianblättchen

**So wird's gemacht**
1. Speck in einer Pfanne erhitzen und die Zwiebeln darin anbraten. Etwa 150 g Sonnenblumenkerne ohne Fettzugabe anrösten. Hefe und Salz in 300 ml lauwarmem Wasser auflösen, Weizenmehl sowie Gewürze hinzufügen und das Ganze 5 bis 10 Minuten durcharbeiten.
2. 5 Eßlöffel Öl und Roggenmehl dazugeben. Den Teig so lange kneten, bis er sich vom Schüsselrand löst. Sonnenblumenkerne und Zwiebeln unterkneten. Aus dem Teig eine Kugel formen und diese an einem warmen Ort 40 Minuten gehen lassen.
3. Nochmals kräftig durchkneten, jeweils 1 Eßlöffel davon abstechen und daraus flache Brötchen formen. Auf ein gefettetes Blech setzen. Eigelb mit 1 Teelöffel Wasser, sowie restlichem Öl verquirlen und die Brötchen damit bestreichen.
4. Mit restlichen Sonnenblumenkernen sowie Thymianblättchen bestreuen und 5 Minuten gehen lassen. Dann in den Backofen schieben und bei 200 °C etwa 30 Minuten backen.

*(auf dem Foto: unten links)*

# Käsestangen

*Für etwa 30 Stück*
**Zubereitungszeit**
*ca. 30 Min.*
**Zeit zum Gehen**
*ca. 55 Min.*
**Backzeit**
*ca. 25 Min.*

170 g Sonnenblumenkerne
42 g Hefe (1 Würfel)
2 TL Meersalz
350 g Weizenvollkornmehl (Type 1700)
1 Ei, 2 TL gemahlener Kümmel
1 EL gemahlener Korinander
6 EL Sonnenblumenöl
150 Roggenvollkornmehl
je 100 g geriebener Emmentaler
und Gouda
Fett für das Blech
1 Eigelb

**So wird's gemacht**
1. Etwa 150 g Sonnenblumenkerne ohne Fettzugabe anrösten. Hefe und Salz in 300 ml lauwarmem Wasser auflösen, Weizenmehl, Ei sowie Gewürze hinzufügen und das Ganze 5 bis 10 Minuten durcharbeiten.
2. 5 Eßlöffel Öl und Roggenmehl dazugeben. Den Teig so lange kneten, bis er sich vom Schüsselrand löst. Sonnenblumenkerne und Käse unterkneten. Aus dem Teig eine Kugel formen und diese an einem warmen Ort 40 Minuten gehen lassen.
3. Nochmals kräftig durchkneten, zu 2 Rollen formen und in 30 Stücke teilen. Jedes Stück zu dünnen, etwa 15 cm langen Rollen formen und diese auf ein gefettetes Blech setzen. Nochmals 15 Minuten gehen lassen.
4. Backofen auf 200 °C vorheizen. Eigelb mit 1 Teelöffel Wasser sowie restlichem Öl verquirlen und die Stangen damit bestreichen. Mit restlichen Sonnenblumenkernen bestreuen und im Ofen etwa 25 Minuten backen.

*(auf dem Foto: unten rechts)*

# Kräuterkränze

*Für etwa 16 Stück*
**Zubereitungszeit**
*ca. 25 Min.*
**Zeit zum Gehen**
*ca. 45 Min.*
**Backzeit**
*ca. 35 Min.*

*550 g Mehl (z.B. von Aurora)*
*42 g Hefe (1 Würfel)*
*1 TL Zucker*
*2 TL Salz*
*200 g gekochte, geschälte Kartoffeln*
*100 g Crème fraîche*
*6 EL Olivenöl*
*4 TL getrocknete Kräuter der Provence*
*Fett für das Blech*
*1 Eigelb*
*2 EL Sahne*
*je 1 EL Mohn- und Sesamsamen*
*50 g geriebener Emmentaler*
*2 EL Kürbiskerne*

**So wird's gemacht**

1. Mehl in eine Schüssel sieben und eine Mulde hineindrücken. Hefe in die Mulde bröckeln, Zucker sowie knapp 1/8 Liter lauwarmes Wasser dazugeben und die Hefe zu einem Vorteig rühren. Diesen zugedeckt an einem warmen Ort 15 Minuten gehen lassen. Dann salzen.

2. Kartoffeln, Crème fraîche und Olivenöl mit einem Pürierstab zerkleinern. Das Püree zusammen mit den Kräutern sowie 4 Eßlöffeln lauwarmem Wasser zum Vorteig geben und das Ganze zu einem glatten Teig verarbeiten. Zugedeckt nochmals 15 Minuten gehen lassen.

3. Den Teig in 16 Stücke teilen. Ein Teigstück jeweils zu 2 Strängen rollen, diese miteinander verdrehen und zu einem Kranz formen. Die Kränze auf ein gefettetes Blech setzen und an einem warmen Ort 15 Minuten gehen lassen.

4. Inzwischen den Backofen auf 175 °C vorheizen. Eigelb mit Sahne verquirlen und die Kränze damit bestreichen. Je 4 Kränze mit Mohn-, Sesamsamen, Käse oder Kürbiskernen bestreuen. Im Ofen in 35 bis 40 Minuten goldbraun backen.

## Tip

Die Kräuterkränze schmecken hervorragend zu Salaten, Käse, warmen sowie kalten Suppen und Wein.

# Korianderwecken

*Für etwa 30 Stück*
**Zubereitungszeit**
*ca. 30 Min.*
**Zeit zum Gehen**
*ca. 1 Std. 15 Min.*
**Backzeit**
*ca. 30 Min.*

| |
|---|
| *500 g Mehl* |
| *40 g Hefe* |
| *1/2 TL Zucker* |
| *1/8 l lauwarme Milch* |
| *175 g flüssige Butter* |
| *1/2 TL Salz, 2 Eier* |
| *Fett für das Blech* |
| *2 Eigelb* |
| *100 g magerer, gewürfelter Speck* |
| *1 TL zerstoßener Koriander* |
| *1/2 TL grobes Meersalz* |

## So wird's gemacht

1. Mehl in eine Schüssel sieben und eine Mulde hineindrücken. Hefe in die Mulde bröckeln, Zucker sowie etwas lauwarme Milch dazugeben und die Hefe zu einem Vorteig rühren. Diesen zugedeckt an einem warmen Ort 15 Minuten gehen lassen.
2. Restliche Milch, Butter, Salz und Eier hinzufügen und alles zu einem glatten Teig verarbeiten. Diesen zugedeckt an einem warmen Ort 45 Minuten gehen lassen. Dann kräftig durchkneten und jeweils kleine Brötchen daraus formen.
3. Backofen auf 200 °C vorheizen. Brötchen mit Eigelb bestreichen, jeweils Speckwürfel hineindrücken und mit Koriander und Salz bestreuen. Überkreuz einschneiden, zugedeckt 15 Minuten gehen lassen und dann im Ofen etwa 35 Minuten backen.

# Gefüllte Polsterzipfel

*Für etwa 12 Stück*
**Zubereitungszeit**
*ca. 30 Min.*
**Zeit zum Ruhen**
*ca. 6 Std.*
**Backzeit**
*ca. 10 Min.*

**Für den Teig:**

200 g Magerquark

200 g Mehl, 200 g Butter

1 TL Salz

1/2 TL Rosenpaprikapulver

2 Eigelb, 2 EL Kümmel oder Mohn

Fett für das Blech

**Für die Füllung:**

75 g zimmerwarme Butter

2 EL saure Sahne

100 g feingeriebener Bergkäse

2 cl Zwetschgenwasser

**So wird's gemacht**

1. Den Quark in ein Küchentuch geben und auspressen. Mehl, Quark, Butter, Salz und Paprikapulver auf einer Arbeitsfläche rasch zusammenkneten. Den Teig in Folie wickeln und 6 Stunden im Kühlschrank ruhen lassen.

2. Den Backofen auf 200 °C vorheizen. Den Teig auf einer bemehlten Arbeitsfläche dünn ausrollen. Mit einem Teigrädchen in etwa 6 cm breite Streifen teilen, daraus flache Dreiecke schneiden. Die Hälfte der Dreiecke mit Eigelb bestreichen und mit Kümmel oder Mohn bestreuen.

3. Die Dreiecke auf ein gefettetes Blech setzen und im Ofen in 8 bis 10 Minuten goldbraun backen. Inzwischen für die Füllung die Butter mit einem Schneebesen schaumig rühren. Saure Sahne und Käse unterrühren und die Creme mit Zwetschgenwasser aromatisieren.

4. Die Dreiecke vom Blech nehmen und auf Backpapier legen. Jeweils ein nicht bestreutes Dreieck dick mit Käsecreme bestreichen. Ein bestreutes Dreieck daraufsetzen und vorsichtig andrücken. Auf diese Weise alle Dreiecke und die gesamte Creme verarbeiten. Vor dem Servieren kurz kühl stellen.

## Tip

Bergkäse ist der Oberbegriff für Käsesorten, die in höheren Regionen hergestellt werden und unterschiedliche Formen und Größen aufweisen. Bergkäse stammt aus österreichischen, schweizer, italienischen oder französischen Alpen. Für nebenstehendes Rezept eignet sich zum Beispiel ein Tiroler Alpkäse oder ein Greyerzer.

# Tilsiter Käsestangen

*Für etwa 20 Stück*
**Zubereitungszeit**
*ca. 30 Min.*
**Zeit zum Gehen**
*ca. 1 Std.*
**Backzeit**
*ca. 15 Min.*

*250 g Mehl*
*20 g Hefe*
*1 EL Zucker*
*1/8 l lauwarme Milch*
*50 g Butter*
*1/2 TL Salz*
*100 g geriebener Tilsiter*
*Fett für das Blech*
*1 Eigelb*
*Kreuzkümmelsamen zum Bestreuen*

**So wird's gemacht**
1. Das Mehl eine Schüssel sieben und in die Mitte eine Mulde hineindrücken. Die Hefe hineinbröckeln, den Zucker sowie 1 Eßlöffel lauwarme Milch hinzufügen und die Hefe zu einem Vorteig rühren. Den Vorteig mit Mehl bestäuben und zugedeckt an einem warmen Ort 10 Minuten ruhen lassen.
2. Restliche Milch, Butter, Salz und Käse zum Vorteig geben und das Ganze zu einem glatten Teig verkneten. Zugedeckt an einem warmen Ort nochmals 30 Minuten gehen lassen.
3. Den Backofen auf 190 °C vorheizen. Den Teig auf einer bemehlten Arbeitsfläche dünn ausrollen. Mit einem Teigrädchen in etwa 3 cm breite Streifen teilen. Die Streifen jeweils an den Enden mit den Händen fassen und vorsichtig in die entgegengesetzte Richtung drehen.

4. Ein Backblech einfetten. Die Stangen daraufsetzen und mit Eigelb bestreichen. Mit Kreuzkümmel bestreuen und im Ofen in 12 bis 15 Minuten goldgelb backen.

## Variation

Käsestangen können Sie auch aus Blätterteig herstellen. Hierfür rollen Sie 300 g Blätterteig (tiefgekühltes Fertigprodukt) auf 30 x 30 cm aus und bestreichen die Platte mit 2 verquirlten Eigelben. Eine Teighälfte mit Käse bestreuen und pfeffern, die andere darüberklappen. Mehrmals mit dem Wellholz darüberrollen, dann den Teig in 1 cm breite Streifen schneiden. Die Streifen in sich drehen und auf ein mit Wasser benetztes Blech legen. Mit Eigelb bestreichen, mit Kümmel bestreuen und bei 220 °C in 10 Minuten goldbraun backen.

# Tomaten-Oliven-Törtchen

*Für etwa 18 Stück*
**Zubereitungszeit**
*ca. 20 Min.*
**Zeit zum Ruhen**
*ca. 1 Std.*
**Backzeit**
*ca. 20 Min.*

**Für den Teig:**
500 g Mehl
250 g Butter
2 Eier, 1 TL Salz
**Für den Belag:**
150 g Frischkäse mit Kräutern
(z.B. von Bresso)
1 Ei, 500 g Tomaten
18 schwarze Oliven
schwarzer Pfeffer aus der Mühle

**So wird's gemacht**
1. Mehl, Butter, Eier und Salz rasch mit beiden Händen zu einem Mürbeteig verkneten. Den Teig im Alufolie wickeln und im Kühlschrank 1 Stunde ruhen lassen.
2. Für den Belag den Frischkäse mit dem Ei verrühren. Die Tomaten waschen, vom Stielansatz befreien und das Fruchtfleisch in etwa 1 cm dicke Scheiben schneiden.
3. Backofen auf 225 °C vorheizen. Teig auf einer bemehlten Arbeitsfläche knapp 1cm dünn ausrollen und Kreise von 11 cm Ø ausstechen.
4. Die Teigkreise jeweils in Tortelettförmchen von etwa 8 cm Ø legen und am Rand festdrücken. Die Frischkäsemasse jeweils darauf verteilen und mit je 1 Tomatenscheibe und 1 Olive belegen. Die Törtchen salzen, pfeffern und auf der unteren Einschubleiste des Ofens 15 bis 20 Minuten backen.

## Tip

Wenn Sie keine Tortelettförmchen haben, können Sie den Teig auch auf einem bemehlten Backblech ausrollen, mit Frischkäsemasse bestreichen und anschließend in quadratische Stücke mit je 1 Tomatenscheibe und 1 Olive in der Mitte portionieren.

## Variation

Belegen Sie die Törtchen zusätzlich mit jeweils 2 bis 3 hauchdünnen Zucchinischeiben.

# Gemüsetarteletts

*Für etwa 4 Stück*
**Zubereitungszeit**
*ca. 30 Min.*
**Zeit zum Ruhen**
*über Nacht*
**Backzeit**
*ca. 30 Min.*

| |
|---|
| 100 g Magerquark |
| 100 g Butter |
| 1 Eigelb |
| 100 g Mehl |
| 1 Msp. Backpulver, Salz |
| Fett für die Förmchen |
| 1 Zucchino |
| 1 Bd. Frühlingszwiebeln |
| 2 Tomaten |
| je 1 rote und gelbe Paprikaschote |
| 1 EL Butterschmalz |
| 250 g Sahne |
| 125 ml Milch |
| 3 Eier |
| 2 EL feingehacktes Basilikum |
| Pfeffer |
| 100 g geriebener Greyerzer |

## So wird's gemacht

1. Quark, Butter und Eigelb verrühren. Mehl, Backpulver sowie 1 Prise Salz darüberstreuen und das Ganze zu einem Teig verkneten. In Folie wickeln und über Nacht kühl stellen. Dann ausrollen und in gefettete Tortelettförmchen (8 cm Ø) geben.

2. Das Gemüse waschen. Zucchino und Frühlingszwiebeln würfeln. Paprika in feine Streifen schneiden, im Butterschmalz glasig dünsten und abkühlen lassen. Tomaten überkreuz einritzen, heiß überbrühen, vom Stielansatz befreien, enthäuten und achteln.

3. Backofen auf 200 °C vorheizen. Gemüse auf die Förmchen verteilen. Sahne, Milch, Eier, Basilikum, Salz und Pfeffer verquirlen und jeweils über das Gemüse geben. Mit Käse bestreuen und im Ofen etwa 30 Minuten backen.

# Gefüllte Piroggen

*Für etwa 30 Stück*
**Zubereitungszeit**
*ca. 45 Min.*
**Zeit zum Ruhen**
*ca. 1 Std.*
**Backzeit**
*ca. 20 Min.*

**Für den Teig:**

*250 g Mehl*

*2 Eigelb*

*100 g Butterschmalz (z.B. von Butaris)*

*Salz*

**Für die Füllung:**

*1 mittelgroße Zwiebel*

*50 g Champignons*

*3 EL Butterschmalz*

*150 g gemischtes Hackfleisch*

*je 1 Prise Muskatnußpulver und Pfeffer*

**Außerdem:**

*1 Eiweiß*

*1 Eigelb*

**So wird's gemacht**

1. Aus Mehl, Eigelben, Butterschmalz, Salz und 3 Eßlöffeln Wasser rasch einen Mürbeteig kneten. Diesen in Alufolie wickeln und im Kühlschrank 1 Stunde ruhen lassen.
2. Für die Füllung die Zwiebel schälen und fein würfeln. Die Champignons waschen und putzen. Das Butterschmalz in einer Pfanne erhitzen, Zwiebel und Champignons darin anbraten und dann abkühlen lassen. Die Zwiebel-Champignon-Masse mit dem Hackfleisch und den Gewürzen vermischen.
3. Den Backofen auf 200 °C vorheizen. Den Teig auf einer bemehlten Arbeitsfläche dünn ausrollen. Mit einem Ausstechförmchen etwa 30 Kreise von 7 cm Ø ausstechen. Auf jeden Kreis etwas Füllung geben, den Kreisrand mit Eiweiß bestreichen und jeden Kreis in der Mitte zusammenklappen.
4. Die Piroggen auf ein mit Backpapier belegtes Blech setzen und jeweils mit verquirltem Eigelb bestreichen. In den Ofen geben und etwa 20 Minuten backen.

## Variation

Piroggen sind osteuropäische Backspezialitäten und können verschieden gefüllt werden. Damit die Füllung etwas kräftiger schmeckt, können Sie das Hackfleisch zusammen mit Zwiebel und Champignons kräftig anbraten. Braten Sie in einer anderen Pfanne 100 g feingewürfelte Rinderleber an und vermischen Sie die Leber mit dem Hackfleisch. Würzen Sie die Füllung mit je 1 Eßlöffel Tomatenmark und Tomatenketchup.

# Edelpilztörtchen

*Für etwa 10 Stück*
**Zubereitungszeit**
*ca. 30 Min.*
**Zeit zum Ruhen**
*ca. 1 Std.*
**Backzeit**
*ca. 20 Min.*

**Für den Teig:**

| |
|---|
| *250 g Mehl* |
| *2 Eigelb* |
| *150 g Butter* |
| *Salz* |

**Für den Belag:**

| |
|---|
| *3 Scheiben Knäckebrot* |
| *1 mittelgroße Zwiebel* |
| *2 Stangen Lauch* |
| *200 g Gorgonzola* |
| *3 EL feingehacktes Basilikum* |
| *125 g saure Sahne* |
| *2 Eier* |
| *schwarzer Pfeffer aus der Mühle* |

**So wird's gemacht**
1. Aus Mehl, Eigelben, Butter, 1 Prise
   Salz und 3 Eßlöffeln Wasser rasch
   einen Mürbeteig kneten. Diesen in
   Alufolie wickeln und im Kühlschrank 1 Stunde ruhen lassen.
2. Dann auf bemehlter Arbeitsfläche
   dünn ausrollen und in Tartelettför-
   mchen (8 cm Ø) legen. Das Knäcke-
   brot mit den Fingern zerböseln und
   die Brösel jeweils auf die Teigflächen
   streuen.
3. Den Backofen auf 225 °C vorheizen.
   Für den Belag die Zwiebel schälen
   und fein würfeln. Den Lauch waschen, putzen und in feine Ringe
   schneiden. Die Butter erhitzen und
   Zwiebel sowie Lauchringe darin etwa 5 Minuten andünsten. Das
   Gemüse jeweils auf die Törtchen
   verteilen.
4. Den Gorgonzola fein würfeln und
   jeweils auf das Gemüse geben. Die
   saure Sahne gründlich mit den Eiern

verquirlen, salzen, pfeffern und das
Basilikum daruntermischen.
5. Die Mischung auf die Förmchen verteilen. Die Törtchen in den Ofen
   geben und in 18 bis 20 Minuten
   goldbraun backen. Heiß servieren.

## Tip

Dazu paßt ein herber, kühler
Weißwein.

## Variation

Sie können den Teig auch ausrollen, in
eine bemehlte Quicheform (24 cm Ø)
geben, belegen und die Torte nach
dem Backen in Dreiecke schneiden.
Anstelle des Lauchs können Sie auch
1 Bund Frühlingszwiebeln verwenden.

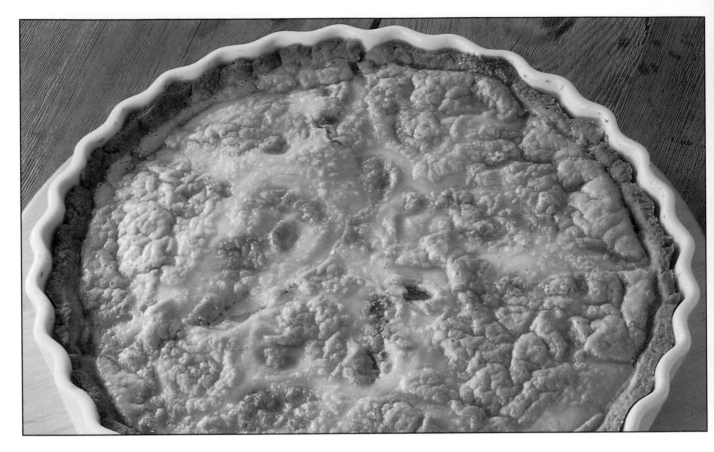

# Quiche Lorraine

**Zubereitungszeit**
*ca. 45 Min.*
**Zeit zum Ruhen**
*ca. 1 Std.*
**Backzeit**
*ca. 25 Min.*

**Für den Teig:**
*400 g Mehl*
*3 Eigelb, Salz*
*180 g Butterschmalz (z.B. von Butaris)*
**Für den Belag:**
*200 g Schinkenspeck*
*4 Eier*
*weißer Pfeffer aus der Mühle*
*1 Prise edelsüßes Paprikapulver*
*100 g Sahne*
*250 g geriebener Emmentaler*

**So wird's gemacht**
1. Aus Mehl, Eigelben, Butterschmalz, 1 Prise Salz und 3 Eßlöffeln Wasser rasch einen Mürbeteig kneten. Diesen in Alufolie wickeln und im Kühlschrank mindestens 1 Stunde ruhen lassen.
2. Dann auf bemehlter Arbeitsfläche dünn ausrollen. Eine Springform (26 cm Ø) mit zwei Dritteln des Teiges auslegen. Den restlichen Teig zu einer Rolle formen, als Rand an den Boden legen, leicht andrücken und mit den Fingern hochziehen. Den Boden mit einer Gabel mehrmals einstechen.
3. Für den Belag den Schinkenspeck in sehr dünne Scheiben schneiden. Die Scheiben in einer Pfanne ausbraten und dann auf Küchenkrepp abtropfen lassen. Die Speckscheiben auf dem Teigboden verteilen.
4. Den Backofen auf 200 °C vorheizen. Die Eier mit den Gewürzen und der Sahne verquirlen, den Käse mit einem Schneebesen unterziehen. Die Mischung über den Speck gießen. Die Quiche in den Ofen geben und etwa 25 Minuten backen.
5. Nach dem Backen mit einem spitzen Messer aus der Form lösen oder in der Form servieren.

## Tip

Dazu paßt ein gemischter Salat in einer Sahne-Joghurt-Sauce mit gehackten Kräutern.

## Variation

Etwas kalorienärmer wird die Quiche, wenn Sie den Schinkenspeck durch gekochten Schinken ersetzen. Der Schinken wird fein gewürfelt und unter die Ei-Sahne-Masse gezogen.

# Gemüsetorte

**Zubereitungszeit**
*ca. 25 Min.*
**Backzeit**
*ca. 50 Min.*

*120 g TK-Blätterteig*
*Fett für die Form*
*300 g weißer Spargel*
*250 g Brokkoli*
*100 g Zucchini*
*Salz*
*1 gehackte Frühlingszwiebel*
*1 EL Schnittlauchröllchen*
*1 Ei*
*1 Eigelb*
*50 g Sahne*
*1 P. Sauce Hollandaise*
*(z.B. von Thomy)*
*2 EL geriebener Greyerzer*
*schwarzer Pfeffer aus der Mühle*
*1 Msp. frisch geriebene Muskatnuß*

## So wird's gemacht

1. Blätterteig nach Packungsanweisung auftauen lassen. Dann dünn ausrollen, in eine gefettete Springform (26 cm Ø) legen und mit einer Gabel mehrmals einstechen. Spargel schälen und in kleine Stücke schneiden. Brokkoli waschen, putzen und in Röschen teilen. Zucchini waschen, längs halbieren und in dünne Scheiben schneiden.

2. Backofen auf 180 °C vorheizen. Spargel und Brokkoli in kochendem Salzwasser jeweils 4 Minuten blanchieren. Dann mit Zucchini, Frühlingzwiebel und Schnittlauch in einer Schüssel vermengen. Übrige Zutaten für den Belag hinzufügen, das Ganze gut mischen und in die Springform geben.

3. Die Torte in den Ofen geben und in 45 bis 50 Minuten goldgelb backen.

# Speckkuchen

**Zubereitungszeit**
*ca. 15 Min.*
**Zeit zum Ruhen**
*ca. 1 Std.*
**Backzeit**
*ca. 30 Min.*

**Für den Teig:**

250 g Mehl

100 g Butterschmalz

Salz

Fett für die Form

**Für den Belag:**

150 g durchwachsener Speck

4 Eier

400 g Sahne

1 Prise frisch geriebene Muskatnuß

schwarzer Pfeffer aus der Mühle

3 EL Schnittlauchröllchen

**So wird's gemacht**

1. Mehl und Butterschmalz feinbröselig zusammenreiben und einen Mehlkranz daraus formen. 1 Teelöffel Salz in 100 ml Wasser auflösen, in die Mitte des Kranzes einlaufen lassen. Von der Mitte aus das Mehl nach und nach einarbeiten und den Teig zusammendrücken, dabei nicht kneten. Den Teig zu einer Kugel formen, in Alufolie wickeln und im Kühlschrank etwa 1 Stunde ruhen lassen.

2. Den Speck zuerst in dünne Scheiben, dann in Streifen schneiden. Die Streifen kurz in kochendes Wasser legen, herausnehmen und auf Küchenkrepp abtropfen lassen. Den Speck in einer Pfanne kurz anbraten und dann abkühlen lassen.

3. Eine Springform (26 cm Ø) ausfetten. Den Teig auf bemehlter Arbeitsfläche 2 mm dick ausrollen und die Springform damit auslegen.

4. Den Backofen auf 225 °C vorheizen. Die Speckstreifen auf dem Teigboden verteilen. Eier und Sahne verquirlen, mit Salz, Muskatnuß und Pfeffer würzen und die Mischung über den Speck geben. Den Teigrand bis auf 1 cm oberhalb der Füllung abschneiden.

5. Den Kuchen auf der unteren Einschubleiste etwa 10 Minuten backen. Dann die Backofenhitze auf 200 °C reduzieren und den Kuchen in etwa 20 Minuten fertigbacken. Mit Schnittlauchröllchen bestreuen und warm servieren.

# Karottenkuchen

**Zubereitungszeit**
*ca. 20 Min.*
**Zeit zum Ruhen**
*ca. 30 Min.*
**Backzeit**
*ca. 40 Min.*

**Für den Teig:**

| |
| --- |
| *275 g Mehl* |
| *125 g Butterschmalz* |
| *Salz, Fett für die Form* |

**Für den Belag:**

| |
| --- |
| *500 g junge Karotten* |
| *3 EL Butterschmalz* |
| *¹/₄ l Gemüsebrühe (aus Instantpulver)* |
| *2 Stangen Lauch* |
| *100 g gekochter Schinken* |
| *100 g geriebener Emmentaler* |
| *100 g Sahne, Pfeffer* |
| *1 Prise Zucker* |

**So wird's gemacht**

1. Das Mehl in eine Schüssel sieben, das Butterschmalz in kleinen Stücken dazugeben. Eine Prise Salz zusammen mit 6 Eßlöffeln Wasser hinzufügen und das Ganze zu einem glatten Teig kneten.
2. Den Teig zu einer Kugel formen, in Alufolie wickeln und im Kühlschrank etwa 30 Minuten ruhen lassen.
3. Die Karotten waschen, putzen, schälen und in dünne Scheiben schneiden. Das Butterschmalz erhitzen und die Karotten darin andünsten. Nach 5 Minuten mit der Gemüsebrühe ablöschen und bei mittlerer Hitze in 7 Minuten bißfest garen.
4. Den Lauch waschen, putzen und in schmale Ringe schneiden. Den Schinken fein würfeln. Den Backofen auf 200 °C vorheizen.
5. Drei Viertel des Teiges auf einer bemehlten Arbeitsfläche zu einem Kreis ausrollen, eine Springform (26 cm Ø) damit auslegen, dabei einen Rand von 2 cm stehen lassen.
6. Die Karotten abtropfen lassen und zusammen mit dem Lauch und dem Schinken auf dem Teig verteilen. Käse und Sahne mit den Gewürzen verrühren und über das Gemüse geben. Den restlichen Teig ausrollen und in 2 cm breite Streifen schneiden. Diese gitterförmig auf den Kuchen legen.
7. Den Kuchen mit Alufolie abdecken, in den Ofen geben und 10 Minuten backen. Die Folie entfernen und den Kuchen in etwa 40 Minuten fertigbacken.

# Gemüseecken mit Käseguß

*Für etwa 36 Stück*
**Zubereitungszeit**
*ca. 20 Min.*
**Zeit zum Gehen**
*ca. 1 Std.*
**Backzeit**
*ca. 50 Min.*

**Für den Teig:**

*500 g Mehl (z.B. von Aurora)*
*42 g Hefe (1 Würfel)*
*1 TL Zucker*
*Salz*
*1 Msp. schwarzer Pfeffer*
*6 EL Öl*
*Fett für die Bleche*

**Für den Belag:**

*2 Stangen Lauch*
*2 rote Paprikaschoten*
*330 g Maiskörner (aus der Dose)*
*6 Eier, 400 g Crème fraîche*
*4 durchgepreßte Knoblauchzehen*
*200 g geriebener Emmentaler*
*2 EL Milch*
*2 EL gehackte Kräuter*
*(Petersilie, Kresse und Dill)*

**So wird's gemacht**

1. Das Mehl eine Schüssel sieben und in die Mitte eine Mulde hineindrücken. Hefe in die Mulde bröckeln, Zucker sowie 6 Eßlöffel lauwarmes Wasser hinzufügen und die Hefe zu einem Vorteig rühren. Den Vorteig mit Mehl bestäuben und zugedeckt an einem warmen Ort 20 Minuten ruhen lassen.

2. 1½ Teelöffel Salz, Pfeffer, Öl sowie ⅛ Liter lauwarmes Wasser zum Vorteig geben und das Ganze zu einem glatten Teig verkneten. Zugedeckt an einem warmen Ort nochmals 20 Minuten gehen lassen.

3. Den Teig halbieren, auf 2 gefettete Bleche geben, ausrollen und nochmals 20 Minuten gehen lassen.

4. Den Backofen auf 200 °C vorheizen. Den Lauch waschen, putzen und in Ringe schneiden. Die Paprikaschoten waschen, putzen und in Streifen schneiden. Mais abtropfen lassen und zusammen mit Lauch und Paprika jeweils auf den Teighälften verteilen.

5. Die restlichen Zutaten gut miteinander verrühren und jeweils die Hälfte der Masse auf das Gemüse geben. Die Bleche in den Ofen schieben und die Kuchen 45 bis 55 Minuten backen. Dann jeden Kuchen zweimal längs und zweimal quer in 9 Quadrate schneiden. Jedes Quadrat nochmals quer halbieren, so daß pro Blech 18 Dreiecke entstehen. Warm oder kalt servieren.

# Tomaten-Zucchini-Kuchen

**Zubereitungszeit**
*ca. 25 Min.*
**Zeit zum Gehen**
*ca. 30 Std.*
**Backzeit**
*ca. 40 Min.*

### Für den Teig:
250 g Mehl
10 g Hefe
70 g flüssiges Butterschmalz
Salz
Fett für das Blech

### Für den Belag:
500 g Tomaten
500 g Zucchini
80 g geriebener Emmentaler
2 Eier
100 g Crème fraîche
1 EL feingehackter Thymian
1 EL feingehackter Majoran

## So wird's gemacht

1. Aus den Teigzutaten zusammen mit 150 ml lauwarmem Wasser einen Hefeteig herstellen und diesen zugedeckt an einem warmen Ort 30 Minuten ruhen lassen. Den Teig ausrollen und auf ein gefettetes Blech legen. Dabei einen Rand formen und gut andrücken. Mit einer Gabel mehrmals einstechen.

2. Backofen auf 220 °C vorheizen. Tomaten und Zucchini waschen, jeweils vom Stielansatz befreien, in Scheiben schneiden und diese auf dem Teig verteilen. Salzen und mit Käse bestreuen. Eier, Crème fraîche und Kräuter verquirlen und darüber verteilen.

3. Den Kuchen in den Ofen geben und etwa 40 Minuten backen. Warm servieren.

# Zwiebelkuchen

**Zubereitungszeit**
*ca. 30 Min.*
**Zeit zum Gehen**
*ca. 1 Std.*
**Backzeit**
*ca. 30 Min.*

*Für den Teig:*

*200 g Mehl*

*15 g Hefe*

*1/2 TL Zucker*

*1/8 l lauwarme Milch*

*75 g Haferflocken (z.B. von Kölln)*

*80 g Butter*

*1 Ei*

*1/2 TL Salz*

*Fett für die Form*

*Für den Belag:*

*500 g Zwiebeln*

*150 g Schinkenspeck*

*3 EL Butter*

*2 Eier*

*125 g saure Sahne*

*2 EL Haferflocken*

*edelsüßes Paprikapulver*

*schwarzer Pfeffer aus der Mühle*

**So wird's gemacht**

1. Das Mehl eine Schüssel sieben und in die Mitte eine Mulde hineindrücken. Die Hefe in die Mulde bröckeln, den Zucker sowie die lauwarme Milch hinzufügen und die Hefe zu einem Vorteig rühren. Den Vorteig mit Mehl bestäuben und zugedeckt an einem warmen Ort 30 Minuten ruhen lassen.

2. Die restlichen Teigzutaten zum Vorteig geben und das Ganze zu einem glatten Teig verkneten. Zugedeckt an einem warmen Ort nochmals 30 Minuten gehen lassen.

3. Für den Belag die Zwiebeln schälen und in dicke Ringe schneiden. Den Speck würfeln. Die Butter in einer Pfanne erhitzen und die Zwiebeln darin glasig dünsten. Den Speck dazugeben, kurz anbraten und das Ganze abkühlen lassen. Die Eier in einer Schüssel mit saurer Sahne, Haferflocken und Gewürzen verquirlen. Dann die Zwiebel-Speck-Masse daruntermischen.

4. Den Backofen auf 220 °C vorheizen. Den Teig nochmals durchkneten und dann auf einer bemehlten Arbeitsfläche etwa 1/2 cm dick ausrollen. In eine gefettete Springform (26 cm Ø) geben.

5. Den Belag darauf verteilen, den Kuchen in den Ofen geben und etwa 20 Minuten backen. Dann die Temperatur auf 240 °C erhöhen und den Kuchen in 5 bis 10 Minuten fertigbacken. Warm servieren.

# Tomatenkuchen

**Zubereitungszeit**
*ca. 45 Min.*
**Backzeit**
*ca. 55 Min.*

*Für den Teig:*

| |
|---|
| *125 g Haferflocken (z.B. von Kölln)* |
| *125 g Mehl* |
| *125 g Butter* |
| *1 Eigelb, Salz* |
| *Fett für die Form* |

*Für den Belag:*

| |
|---|
| *125 g gekochter Schinken* |
| *1 grüne Paprikaschote* |
| *3 mittelgroße Tomaten* |
| *125 g junger Gouda am Stück* |
| *3 Eier* |
| *250 g saure Sahne* |
| *2 EL Haferflocken* |
| *3 EL gehackte Petersilie* |
| *weißer Pfeffer aus der Mühle* |
| *1 Spritzer Tabasco* |

**So wird's gemacht**

1. Den Backofen auf 190 °C vorheizen. Haferflocken zusammen mit Mehl, Butter, Eigelb, 4 Eßlöffeln Wasser und 1 Prise Salz zu einem kompakten Teig verkneten.

2. Eine Springform (26 cm Ø) ausfetten, mit dem Teig auskleiden, dabei einen Rand hochziehen. Den Teig in den Ofen geben und auf der unteren Einschubleiste etwa 15 Minuten vorbacken.

3. Für den Belag den Schinken würfeln. Die Paprikaschote waschen, putzen und in feine Streifen schneiden. Die Tomaten überkreuz einritzen, mit kochend heißem Wasser überbrühen, vom Stielansatz befreien, enthäuten und das Fruchtfleisch in dicke Scheiben schneiden. Den Käse grob reiben.

4. Schinken, Paprikastreifen, Tomatenscheiben und geriebenen Käse auf dem vorgebackenen Teigboden verteilen. Eier in einer Schüssel mit saurer Sahne, Haferflocken, Petersilie und Gewürzen verquirlen. Die Masse in die Springform geben. Den Kuchen in den Ofen geben und bei 190 °C nochmals 30 bis 40 Minuten backen.

## Tip

Wenn Sie als letzte Schicht zusätzlich Tomatenscheiben darauflegen, wird der Kuchen saftiger.

## Variation

Je nach Belieben können Sie noch frische, gehackte Sommerkräuter (Basilikum, Thymian, Rosmarin) unter die saure Sahne rühren.

# Spinat-Pinien-Torte

**Zubereitungszeit**
*ca. 40 Min.*
**Zeit zum Ruhen**
*ca. 30 Min.*
**Backzeit**
*ca. 1 Std.*

**Für den Teig:**
*400 g Mehl (z.B. von Aurora)*
*1/2 TL Salz*
*100 ml Distelöl*
*1 Ei*
**Für die Füllung:**
*1,2 kg frischer Blattspinat*
*Salz*
*4 kleine Zwiebeln*
*3 EL Öl*
*4 EL Pinienkerne*
*2 Prisen schwarzer Pfeffer*
*aus der Mühle*
*200 g Frischkäse (70 % Fett)*
*100 g frisch geriebener Parmesan*
*100 g roher Schinken,*
*in dünnen Scheiben*
*6 Eier*
**Außerdem:**
*Öl für die Form*
*1 Eigelb*
*1 EL Sahne*
*2 EL Pinienkerne*

**So wird's gemacht**

1. Das Mehl in eine Schüssel sieben und in die Mitte eine Mulde hineindrücken. Salz, 150 ml lauwarmes Wasser, Öl und Ei in die Mulde geben. Die Zutaten mit den Knethaken eines Handrührgeräts zu einem glatten Teig verkneten. Den Teig zugedeckt auf einem Pergamentpapier an einem warmen Ort 30 Minuten ruhen lassen.
2. Für die Füllung den Spinat putzen, verlesen, gründlich waschen und in kochendem Salzwasser 1 Minute blanchieren. Herausnehmen, abtropfen lassen, ausdrücken und fein hacken. Die Zwiebeln schälen und in Würfel schneiden.
3. Das Öl in einer Pfanne erhitzen und die Zwiebeln zusammen mit den Pinienkernen darin anbraten. Spinat, Pfeffer, Frischkäse und zwei Drittel des Parmesans unter die lauwarme Masse mischen.
4. Eine Springform (26 cm Ø) mit Öl ausstreichen. Den Teig in 4 Portionen aufteilen. Eine Portion auf bemehlter Arbeitsfläche so auf die Größe der Springform ausrollen, daß der Teig 1 bis 2 cm über den Rand lappt. Überschüssigen Teig abschneiden und für den Tortendeckel beiseite legen. Den Teigboden mit Öl bepinseln und mit Schinkenscheiben belegen.
5. Zwei weitere Teigportionen auf die gleiche Weise ausrollen und abwechselnd mit den Schinkenscheiben in der Form übereinander legen. Dann 2 Eßlöffel Parmesan zusammen mit der Spinatfüllung auf den letzten Teigboden geben.
6. Mit einem Eßlöffel 6 Vertiefungen in die Füllung hineindrücken. In jede Vertiefung ein rohes Ei gleiten lassen und die Füllug mit dem restlichen Parmesan bestreuen.
7. Den Backofen auf 200 °C vorheizen. Zwei Drittel des restlichen Teigs ausrollen und die Füllung mit einer dünnen Teigplatte zudecken. Aus dem übrigen ausgerollten Teig 12 Dreiecke ausschneiden und diese sonnenförmig auf die Teigplatte legen.
8. Aus dem restlichen Teig zwei dünne Teigstränge formen. Diese miteinander verdrehen und kreisförmig auf den Teigrand setzen. Das Eigelb mit der Sahne verquirlen und die Torte damit bestreichen. Die Torte mit Pinienkernen bestreuen und auf der mittleren Einschubleiste 50 bis 60 Minuten backen. Gegen Ende der Backzeit eventuell mit Alufolie abdecken. Lauwarm servieren.

**Tip**

Der rohe Schinken erübrigt in diesem Rezept die Zugabe von Salz für die Füllung. Besonders geeignet ist hier ein würziger Parmaschinken, zum Beispiel ein San Daniele.

**Variation**

Anstelle des Spinats können Sie auch die gleiche Menge frischen Mangold verwenden. Mangold hat den Vorteil, daß er nicht so gründlich wie Spinat gewaschen werden muß. Die festen Mangoldblätter müssen allerdings gut 3 Minuten in kochendem Salzwasser blanchiert werden, damit sie weich werden. Sehr gut schmeckt die Torte auch, wenn Sie mit Lauch gefüllt wird. Hierfür den Teig wie nebenstehend beschrieben, zubereiten. Etwa 2,5 kg Lauch putzen, dabei das Grüne großzügig wegschneiden. Dann gründlich waschen und in feine Ringe schneiden. Die Lauchringe abtropfen lassen und in 3 Eßlöffeln Butter bei mittlerer Hitze etwa 15 Minuten dünsten. Zwei Drittel den Teigs ausrollen und die Springform damit auslegen, dabei einen Rand von 3 cm hochziehen. Den Boden im Ofen bei 200 °C etwa 20 Minuten vorbacken. 200 g Lachsschinken ohne Fettrand fein würfeln und auf dem vorgebackenen Teigboden verteilen. Die Lauchringe darüber verteilen. 200 g Crème fraîche mit 4 Eiern, 100 g geriebenem Greyerzer, schwarzem Pfeffer aus der Mühle und einer Prise frisch geriebener Muskatnuß verquirlen. Die Masse über dem Lauch verteilen. Den restlichen Teig dünn ausrollen und als Deckel auf die Torte legen. Den Tortendeckel mit einer Mischung aus 1 Eigelb und 1 Eßlöffel Sahne bestreichen. Das Ganze in den Ofen geben und bei 200 °C in etwa 30 Minuten fertigbacken.

Zum Thema Kochen sind bei Bassermann außerdem erschienen:
„Köstliche italienische Küche" (1/0110) • „Kalte Küche" (1/0117)
„Gut kochen – herzhaft genießen" (1/0122) • „Salate" (1/0126)
„Köstliche asiatische Küche" (1/0134) • „Das neue große Grund-
kochbuch" (1/0160) • „Spaghetti, Tortellini & Co." (1/0175)
„Vegetarische Küche" (1/0181)

Die Deutsche Bibliothek – CIP-Einheitsaufnahme

**Das neue Backbuch** / hrsg. von Isa Fuchs. – Niedernhausen/Ts. :
Bassermann, 1995
   ISBN 3-8094-0187-0
NE: Fuchs, Isa [Hrsg.]

**Der Verlag dankt folgenden Firmen für die freundliche
Unterstützung bei der Entstehung dieses Buches:**
AURORA MÜHLEN GMBH, Weinheim; Biskin; Bresso-Frischkäse,
Kempten; Butaris Markenschutzverband e.V., Hamburg; Carmel;
CMA Butter, Bonn; CMA Butterschmalz, Bonn; CMA Eier, Berlin;
CMA Zucker/IPR & O, Bonn; Cortina; Deutsche Thomy GmbH,
Karlsruhe; Eschenbach Porzellan, Eschenbach; GMF – Vereinigung
Getreide, Markt- und Ernährungsforschung e.V., Bonn; Honig-
Verband, Bremen; Informationsgemeinschaft Bananen, München;
Peter Kölln, Köllnflockenwerke, Elmshorn; Landesverband der
Bayerischen Milchwirtschaft e.V., München; MAIZENA Markenartikel,
Heilbronn; Sanella; Schwartauer Werke GmbH & Co., Bad
Schwartau;  SOLO-Konfitüre; UBENA/INFO ZENTRUM
GEWÜRZE, Bremen; USA-Sonnenblumenkerne, Bismarck/North
Dakota; Verband Deutsche Brot- und Backwarenindustrie, Bonn;
H. Zenker GmbH & Co. KG, Aichach

ISBN 3 8094 0187 0

© 1995 by Bassermann'sche Verlagsbuchhandlung,
65527 Niedernhausen/Ts.

**Umschlaggestaltung:** Peter U. Pinzer
**Umschlagfotos:** TLC Foto-Studio, Velen-Ramsdorf
**Fotos:** S. 39, 59, 67 oben, 69, 80, 112, 118, 119, 123, 124/125,
127, 132, 134, 146, 158, 172, 184, 189: AURORA MÜHLEN GMBH,
Weinheim; S. 109 oben: Biskin; S. 176: Bresso-Frischkäse, Kempten;
S. 28/29, 95, 97, 178, 180: Butaris Markenschutzverband e.V., Ham-
burg; S. 65, 101: Carmel; S. 9, 42, 43, 51, 54, 55, 63, 81, 85, 87, 99,
143, 155, 157, 161, 173, 174, 175, 177, 179: CMA Butter, Bonn;
S. 41 oben, 52/53, 73, 100, 109 unten, 111, 122, 129, 133, 135, 182,
183, 185: CMA Butterschmalz, Bonn; S. 152, 153: CMA Eier, Berlin;
S. 1, 5, 11, 57 unten, 68, 84, 88, 90, 91, 140, 141, 142, 162, 163, 165:
CMA Zucker/IPR & O, Bonn; S. 121: Cortina; S. 181: Deutsche
Thomy GmbH, Karlsruhe; S. 130: Eschenbach Porzellan, Eschenbach;
S. 10: GMF – Vereinigung Getreide, Markt- und Ernährungsforschung
e.V., Bonn; S. 44, 131: Honig-Verband, Bremen; S. 36, 70, 71, 77:
Informationsgemeinschaft Bananen, München; S. 58, 110, 113, 114,
138, 139, 166/167, 169, 186, 187: Peter Kölln, Köllnflockenwerke,
Elmshorn; S. 104: Landesverband der Bayerischen Milchwirtschaft
e.V., München; S. 34, 35, 41 unten, 49, 67 unten, 76, 79, 105, 128,
149, 150, 151, 156, 160: MAIZENA Markenartikel, Heilbronn;
S. 31, 106/107: Sanella; S. 2, 30, 32, 33, 38, 46, 47, 50, 57 oben,
60, 61, 72, 74, 75, 82/83, 89, 93, 94, 102, 103, 120, 144/145:
Schwartauer Werke GmbH & Co., Bad Schwartau;  S. 45: SOLO-
Konfitüre; S. 8: UBENA/INFO ZENTRUM GEWÜRZE, Bremen;
S. 37, 115, 136, 137, 147, 168, 171: USA-Sonnenblumenkerne,
Bismarck/North Dakota; S. 64, 96, 126: Verband Deutsche Brot-
und Backwarenindustrie, Bonn; S. 12/13: H. Zenker GmbH &
Co. KG, Aichach; alle anderen Fotos: Archiv
**Redaktion:** Dr. Reitter & Partner, D-85591 Vaterstetten
**Herstellung:** Dr. Reitter & Partner, D-85591 Vaterstetten

**Satz:** Dr. Reitter & Partner, D-85591 Vaterstetten
**Gesamtkonzeption:** Bassermann'sche Verlagsbuchhandlung,
D-65527 Niedernhausen/Ts.

817 2635 4453 6271